Riassunto del libretto

Nella sua casa di Firenze è da poco spirato il ricco Buoso Donati, e i parenti ne piangono la morte con esagerate dimostrazioni di dolore; in realtà si aspettano di essere ampiamente consolati dall'eredità. Ma Betto di Signa, il più povero di essi, ha sentito strane voci secondo le quali Buoso avrebbe lasciato ogni sua proprietà ai frati minori e all'Opera di Santa Reparata. Insospettiti e preoccupati, i parenti si mettono in cerca del testamento, e quando finalmente lo trovano scoprono la fondatezza delle loro peggiori previsioni. Il finto dolore per la perdita del parente si trasforma in autentico pianto per la perdita dell'eredità. È addolorato anche il giovane Rinuccio, a cui il denaro avrebbe consentito di ottenere l'autorizzazione a sposare una ragazza priva di dote, Lauretta, figlia del plebeo Gianni Schicchi.

Invano i parenti di Buoso si rivolgono al più vecchio di loro, Simone, affinché consigli loro il da farsi; Rinuccio propone di rivolgersi a Schicchi, la cui accortezza è ben nota. La proposta è male accolta perché la famiglia Donati non vede di buon occhio la gente plebea, ma ormai Gianni, insieme alla figlia Lauretta, è giunto nella casa del defunto, dove giunge anche, poco dopo, il medico Spinelloccio, ancora ignaro della morte del suo paziente. Non appena Gianni intuisce come volgere la situazione a proprio vantaggio, si nasconde nel letto del defunto, ne imita la voce, e congeda il medico asserendo di sentirsi meglio e di voler riposare. Il piano di Gianni Schicchi viene ora messo in pratica: travestito da Buoso, si mette nel suo letto, manda a chiamare il notaio Amantio e due testimoni, davanti ai quali detta un nuovo testamento. Egli distribuisce equamente fra i parenti il denaro contante e alcune proprietà, ma i beni più preziosi, la casa di Firenze, i mulini di Signa e la mula, li tiene per sé, mentre i parenti non possono protestare senza svelare la truffa che costerebbe loro il taglio della mano e l'esilio da Firenze. Uscito il notaio e i testimoni, Gianni scaccia i parenti inferociti che vorrebbero saccheggiare la casa ormai divenuta sua proprietà, mentre Rinuccio e Lauretta si abbracciano felici.

Synopsis of the libretto

The wealthy Buoso Donati has just died at home in Florence and his relatives are somewhat exaggerating in their mourning of his passing away; in reality they all expect to be amply consoled by their inheritance. But Betto di Signa, the poorest of them all, has heard strange rumours according to which Buoso has left all his possessions to the Friars Minor and the Charitable Works of Saint Reparata. Suspicious and worried, the relatives start looking for the will and, when they finally uncover it, they find their worst fears have come true. The false grief for the loss of their dear one turns into an authentic lament for the loss of their inheritance. Also the young Rinuccio is upset, for whom the money would have meant permission to marry a girl without a dowry, Lauretta, daughter of the commoner Gianni Schicchi.

In vain do Buoso's relatives turn to their elder, Simone, for advice on what to do; Rinuccio, however, suggests approaching Schicchi, well known for his shrewdness. The others reject this suggestion as the Donati family is above dealing with commoners, but by now Gianni, accompanied by his daughter Lauretta, has reached the house of the deceased, followed shortly after by the doctor, a certain Spinelloccio, still unaware of the death of his patient. As soon as Gianni sees how to turn the situation to his own personal advantage, he hides in the bed of the deceased, imitates his voice and sends the doctor away, claiming that he feels better and wants to rest. Gianni Schicchi's plan is now put into practice: dressed as Buoso, he lies on his bed and summons the public notary Amantio and two witnesses, in front of whom he dictates a new will. He distributes the cash and some properties fairly among the relatives, but the most valuable assets - the house in Florence, the mills in Signa and the mule - he keeps for himself, while the relatives can't do anything about it without revealing the fraud, for which the penalty is the cutting-off of a hand and exile from Florence. Once the notary and witnesses have left, Gianni chases the enraged relatives out of the house before they can plunder what has know become his property, while Rinuccio and Lauretta happily embrace.

Giacomo Puccini

icchi

An opera in one act

Libretto
by Giovacchino Forzano

English version
Anne and Herbert Grossman

First performance:
York, Metropolitan Opera House
14th December 1918

Première représentation:
ork, Metropolitan Opera House
le 14 décembre 1918

Klavierauszug

Vocal score

Réduction pour chant et piano

RICORDI

Grafica della copertina • *Cover design*: Giorgio Fioravanti, G&R Associati

Produzione, distribuzione e vendita • *Production, distribution and sale*:
BMG Publications srl – via Liguria 4 – 20098 Sesto Ulteriano – San Giuliano Milanese (MI) – Italia

Catalogo completo delle edizioni in vendita, consultabile su
All current editions in print can be found in our online catalogue at
www.ricordi.it – www.ricordi.com – www.durand-salabert-eschig.com

2006 – Stampato in Italia • *Printed in Italy*

CP 132848
ISMN M-041-32848-5

Zusammenfassung des Librettos

In seinem Haus in Florenz ist kürzlich der Reiche Buoso Donati verschieden und seine Verwandten beweinen seinen Tod mit übertriebenem Schmerz; in Wirklichkeit erwarten sie sich, vom Erbe gebührlich getröstet zu werden. Aber Betto di Signa, der Ärmste von ihnen, hat sonderbare Gerüchte darüber gehört, dass Buoso seinen gesamten Besitz den Minoriten und dem Werk der Santa Reparata hinterlassen hätte. Argwöhnisch und besorgt machen sich die Verwandten auf die Suche nach dem Testament, und als sie es schliesslich finden, haben sie die Bestätigung für ihre schlimmsten Befürchtungen. Der vorgetäuschte Schmerz über den Verlust des Verwandten verwandelt sich in ein wahres Geheule wegen der verlorenen Erbschaft. Auch der junge Rinuccio ist betrübt. Ihm hätte das Geld ermöglicht, die Erlaubnis zur Heirat eines Mädchens namens Lauretta zu bekommen, die keine Aussteuer hatte und die Tochter des gemeinen Gianni Schicchi war.

Vergeblich bitten die Verwandten des Buoso den Ältesten in ihrem Kreise, Simone, um Rat; Rinuccio schlägt vor, sich an Schicchi zu wenden, dessen Schlauheit gut bekannt ist. Das Angebot wird schlecht aufgenommen, weil die Familie Donati das gemeine Volk nicht gerne sieht, aber inzwischen ist Gianni, zusammen mit seiner Tochter Lauretta, beim Haus des Verstorbenen angekommen, wo auch kurz danach der Doktor Spinelloccio eintrifft, der noch nichts vom Tod seines Pazienten weiss. Sobald Gianni kapiert, wie er die Lage zu seinen Gunsten nützen kann, versteckt er sich im Bett des Toten, imitiert dessen Stimme und verabschiedet sich, indem er mitteilt, dass es ihm besser gehe und er sich ausruhen wolle. Der Plan von Gianni Schicchi wird nun in die Tat umgesetzt: Verkleidet als Buoso legt er sich ins Bett, lässt den Notar Amantio und zwei Zeugen kommen, vor denen er das neue Testament diktiert. Er verteilt das Bargeld und einige Besitztümer zu gleichen Teilen unter den Verwandten, aber die wertvollsten Güter, das Haus in Florenz, die Mühlen von Signa und das Maultier behält er für sich. Dabei können die Verwandten nicht protestieren, ohne den Betrug aufzudecken, für den sie mit einer abgehakten Hand und dem Exil aus Florenz bestraft werden würden. Nach dem Abgang des Notars und der Zeugen, verjagt Gianni die wild gewordenen Verwandten, die am liebsten das Haus plündern würden, das nun in seinem Besitz ist, während Rinuccio und Lauretta sich glücklich umarmen.

Résumé du livret

Le riche Buoso Donati vient d'expirer depuis peu dans sa maison de Florence, et ses parents pleurent sa mort avec des démonstrations de douleur exagérées; en réalité ils s'attendent à être largement consolés par l'héritage. Mais Betto di Signa, le plus pauvre d'entre eux, a entendu d'étranges rumeurs selon lesquelles Buoso aurait laissé tous ses biens aux frères mineurs et à l'Œuvre de Santa Reparata. Soupçonneux et inquiets, les parents se mettent à la recherche du testament, et quand finalement ils le trouvent ils découvrent le bien fondé de leurs pires craintes. La douleur feinte pour la perte de leur parent se transforme en deuil authentique pour la perte de l'héritage. Le jeune Rinuccio est également affligé, l'argent lui aurait permis d'obtenir l'autorisation d'épouser une jeune fille privée de dot, Lauretta, fille du roturier Gianni Schicchi.

Les parents de Buoso se tournent en vain vers le plus vieux d'entre eux, Simone, afin qu'il leur conseille que faire; Rinuccio propose de s'adresser à Schicchi, dont la sagacité est bien connue. La proposition est mal accueillie parce que la famille Donati ne voit pas d'un bon œil les gens du peuple, mais voilà que Gianni, avec sa fille Lauretta, est arrivé dans la maison du défunt, où arrive aussi, peu après, Spinelloccio le médecin, ignorant encore la mort de son patient. Dès que Gianni devine comment retourner la situation à son avantage, il se cache dans le lit du défunt, en imite la voix, et il congédie le médecin en assurant se sentir mieux et vouloir se reposer. Le plan de Gianni Schicchi est alors mis en pratique: déguisé en Buoso, il se met dans son lit, fait appeler Amantio le notaire et deux témoins, devant lesquels il dicte un nouveau testament. Il répartit équitablement entre les parents l'argent comptant et quelques propriétés, mais les biens les plus précieux, la maison de Florence, les moulins de Signa et la mule, il les garde pour lui, tandis que les parents ne peuvent pas protester sans révéler l'escroquerie qui leur vaudrait qu'on leur coupe la main et l'exil de Florence. Une fois le notaire et les témoins sortis, Gianni chasse les parents fous de rage qui voudraient saccager la maison désormais devenue sa propriété, tandis que Rinuccio et Lauretta s'embrassent, heureux.

Personaggi

GIANNI SCHICCHI, 50 anni
baritono

LAURETTA, 21 anni
soprano

I parenti di Buoso Donati:

ZITA, detta "La vecchia",
cugina di Buoso, 60 anni
mezzosoprano

RINUCCIO, nipote di Zita,
innamorato di Lauretta, 24 anni
tenore

GHERARDO, nipote di Buoso, 40 anni
tenore

NELLA, sua moglie, 34 anni
soprano

GHERARDINO, loro figlio, 7 anni
mezzosoprano

BETTO DI SIGNA, cognato di Buoso,
povero e malvestito, età indefinibile
baritono

SIMONE, cugino di Buoso, 70 anni
basso

MARCO, suo figlio, 45 anni
baritono

LA CIESCA, moglie di Marco, 38 anni
soprano

MAESTRO SPINELLOCCIO, medico
basso

SER AMANTIO DI NICOLAO, notaro
basso

PINELLINO, calzolaio
basso

GUCCIO, tintore
basso

L'azione si svolge nel 1299 in Firenze

Characters

GIANNI SCHICCHI, aged 50
baritone

LAURETTA, aged 21
soprano

The relatives of Buoso Donati:

ZITA, called "The old woman",
Buoso's cousin, aged 60
mezzo-soprano

RINUCCIO, Zita's nephew,
in love with Lauretta, aged 24
tenor

GHERARDO, Buoso's nephew, aged 40
tenor

NELLA, his wife, aged 34
soprano

GHERARDINO, their son, aged 7
mezzo-soprano

BETTO OF SIGNA, Buoso's brother in law,
poor and shabbily clothed, of dubious age
baritone

SIMONE, Buoso's cousin, aged 70
bass

MARCO, his son, aged 45
baritone

LA CIESCA, Marco's wife, aged 38
soprano

MAESTRO SPINELLOCCIO, physician
bass

SER AMANTIO DI NICOLAO, notary
bass

PINELLINO, shoemaker
bass

GUCCIO, dyer
bass

The action takes place in 1299 in Florence

Scena - La camera da letto di Buoso Donati. A sinistra di faccia al pubblico la porta d'ingresso; oltre un pianerottolo e la scala; quindi una finestra a vetri fino a terra per cui si accede al terrazzo con la ringhiera di legno che gira esternamente la facciata della casa. Nel fondo a sinistra un finestrone da cui si scorge la torre di Arnolfo. Sulla parete di destra una scaletta di legno conduce ad un ballatoio su cui trovansi uno stipo e una porta. Sotto la scala un'altra porticina. A destra, nel fondo, il letto. Sedie, cassapanche, stipi sparsi qua e là, un tavolo; sopra il tavolo oggetti d'argento.

Scene - The bed-chamber of Buoso Donati. Stage left, facing the audience, the main entrance; beyond, the landing and staircase; then, a large French window giving access to the terrace which surrounds the front of the house. The terrace has a wooden banister. Rear left, a very large window through which Arnolfo's tower can plainly be seen. Along right-hand wall, a narrow wooden staircase leads up to a small balcony. A chest of drawers and a door in the gallery. Under the stairs, another smal door. Rear right, the bed. Chairs, chests, coffers are scattered here and there. A table bearing silverware.

GIANNI SCHICCHI

by
GIACOMO PUCCINI

(At the four corners of the bed, four tall candlesticks with four lighted candles. In front of the bed, a three-branch candelabrum-unlighted. Through the half-open bed-curtains can be seen a red silk drapery covering a body.
Buoso's relatives are kneeling, turned towards the bed, in attitude of prayer. Gherardino, seated on the floor, to the left and near the wall, turns his back to the other relatives, intent on playing marbles.
There is sunshine and the glow of candles. It is 9 o'clock in the morning.)

*(Ai lati del letto quattro candelabri con quattro ceri accesi. Davanti al letto un candelabro a tre candele, spento. Le sarge del letto, semichiuse, lasciano intravedere un drappo rosso che ricopre un corpo.
I parenti di Buoso sono in ginocchio, intorno al letto, in atto di preghiera. Gherardino è a sinistra, vicino alla parete; è seduto in terra, volta le spalle ai parenti e si diverte a far ruzzolare delle palline di legno.
Luce di sole e luce di candele; sono le nove del mattino.)*

(The relatives of Buoso murmur a prayer, while Marco, old Zita and Ciesca sob loudly.)
(I parenti di Buoso susurrano una preghiera, mentre Marco, Zita e Ciesca si lamentano addolorati.)

ZITA
(to Betto)
(verso Betto)
SHHH! ....
Sciii!.........
CIESCA
Oh! Buo-so!
Oh! Buoso!
NELLA
Buo-so!
Buoso!
(He is interrupted by Gherardino letting a chair drop to the floor with a crash, and the relatives, with the excuse of quieting Gherardino, silence Betto)
(Gherardino butta in terra una sedia, e i parenti, colla scusa di zittire Gherardino, zittiscono Betto)
GHERARDO
MARCO
SIMONE
BETTO
POOR OLD BUO - SO! POOR OLD BUO.....
O co-gnato! o co-gnà...
rit. a tempo
(to Gherardino, who is tugging at his coat-tails and saying something in his ear)
(a Gherardino che lo tira per le vesti e gli dice qualcosa nell'orecchio)
WEEKS? FOR
Gior-ni? Per
I KNOW I'LL WEEP FOR WEEKS AND WEEKS__ SHHH!
Io pian-ge - rò per giorni e gior-ni. Sciò!

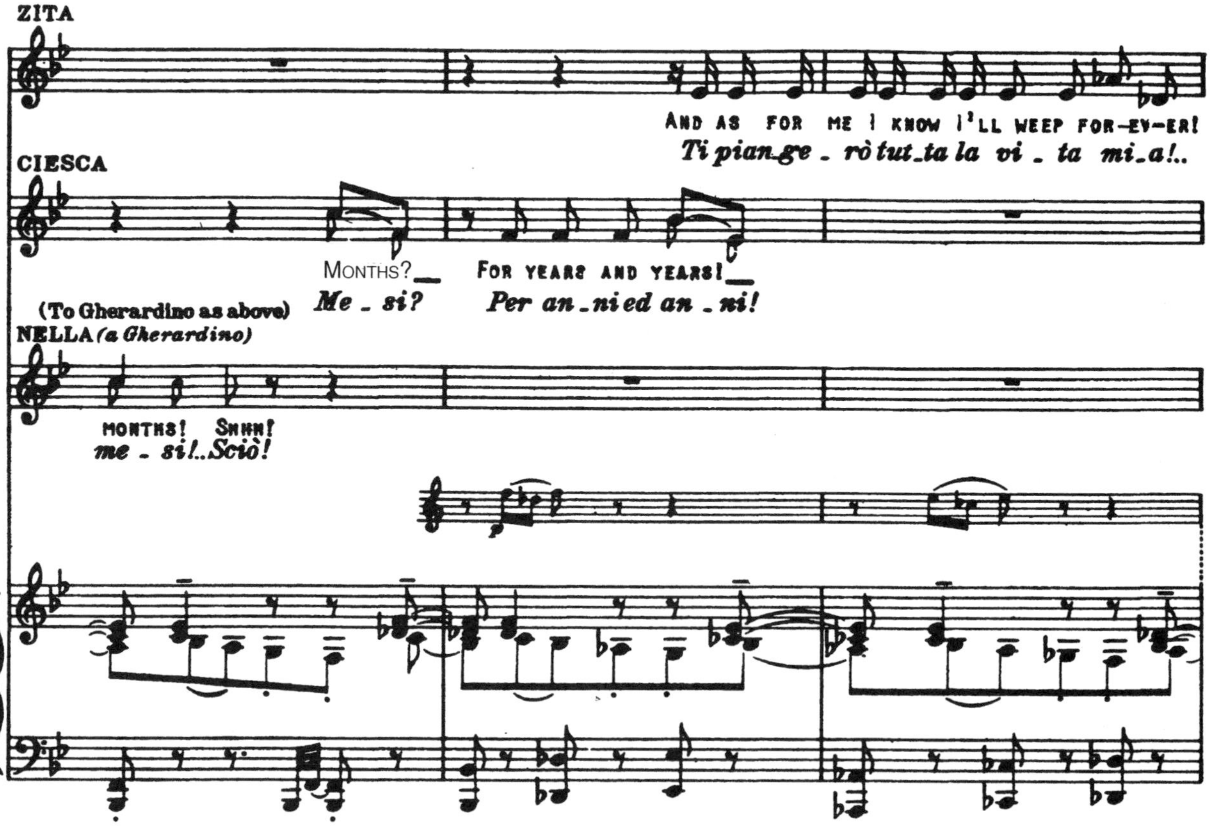
ZITA
AND AS FOR ME I KNOW I'LL WEEP FOR-EV-ER!
Ti pian_ge _ rò tut_ta la vi _ ta mi_a!..
CIESCA
MONTHS?__ FOR YEARS AND YEARS!__
Me _ si? Per an_ni ed an _ ni!
(To Gherardino as above)
NELLA (a Gherardino)
MONTHS! SHHH!
me _ si!..Sciò!

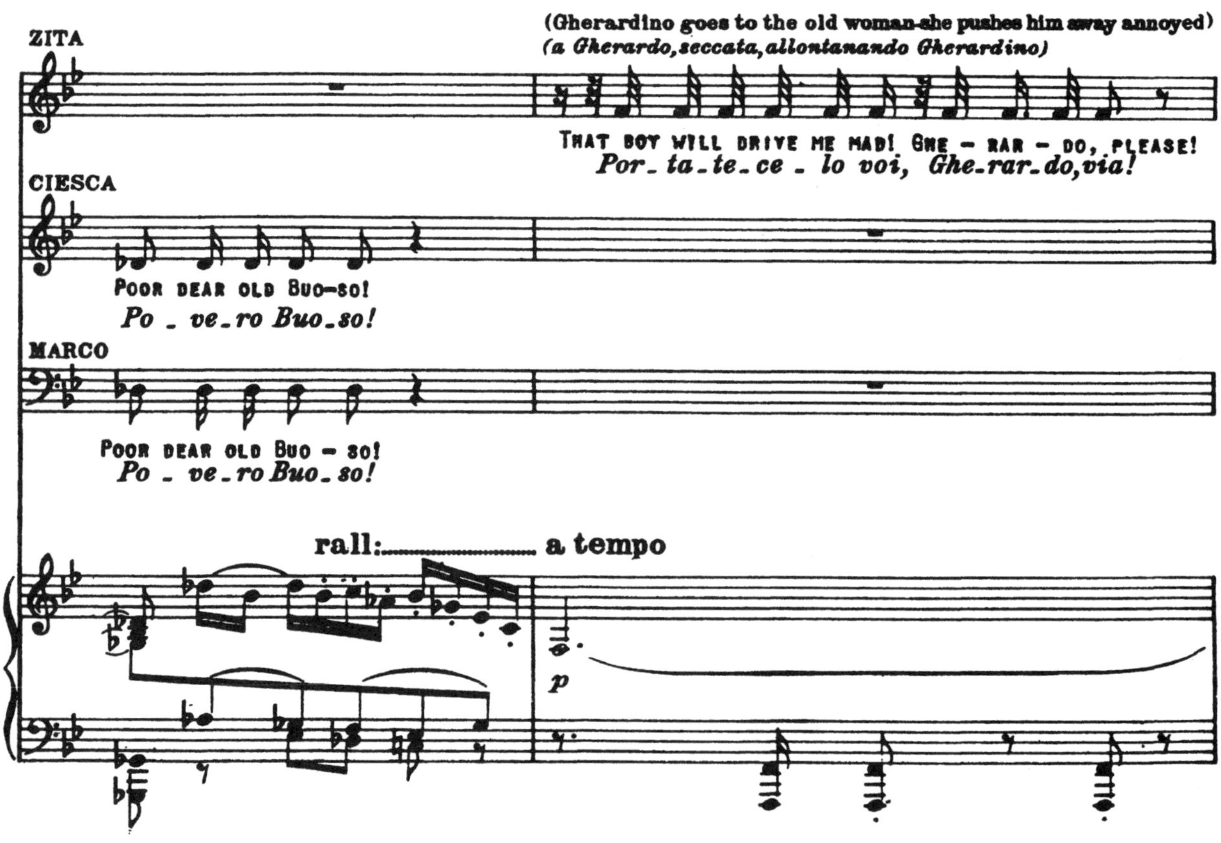
ZITA
(Gherardino goes to the old woman-she pushes him away annoyed)
(a Gherardo, seccata, allontanando Gherardino)
THAT BOY WILL DRIVE ME MAD! GHE - RAR - DO, PLEASE!
Por_ ta_te_ce _ lo voi, Ghe_rar_do,via!
CIESCA
POOR DEAR OLD BUO-SO!
Po _ ve_ro Buo_so!
MARCO
POOR DEAR OLD BUO - SO!
Po _ ve_ro Buo_ so!
rall:..................... a tempo
p

(Gherardo gets up, takes the boy by the hand, and dragging him along, takes him away through the small door at left.)
(Gherardo si alza, prende il figliolo per un braccio e a strattoni lo porta via dalla porticina di sinistra.)

ZITA
BUO - SO! BUO - SO!
Buo-so! Buo - so!
CIESCA
WHY HAVE YOU LEFT US?
tut-ta la vi - ta!
RINUCCIO
WHY, OH WHY!
Pian - ge-rem!
(All continue praying, while Betto, bending to his left, whispers a few words in Nella's ear)
(Tutti ripigliano a pregare, meno Betto e Nella che si parleranno all'orecchio)
3
NELLA
YOU MEAN IT?
Ma co - me?
NOT REAL-LY?
Dav - ve-ro?

(Bending towards Nella, in a lamenting tone)
(piangente, curvandosi verso Nella)
RINUCCIO
AND WHAT ARE THEY SAY - ING?
Che di_co_no a Si_gna?
BETTO
BUT THAT'S WHAT THEY'RE SAY - ING.
Lo di_co_no a Si_gna.
NELLA (Whispers into Rinuccio's ear)
(parla all'orecchio di Rinuccio)
THEY'RE SAY-ING THAT...
Si di_ce che...
RINUCCIO
WHA-A-AT?
Giaaa?!...
BETTO
AND THAT'S WHAT THEY'RE SAY-ING
Lo di_co_no a Si_gna.
dim.
(Bending towards Betto, in a lamenting tone)
CIESCA (piagnucolosa, curvandosi verso Betto)
WHAT IS IT THEY'RE SAY-ING?
Che di_co_no a Si_gna?
(Whispers to Ciesca)
(parla piano a Ciesca)
BETTO
THEY'RE SAY-ING THAT...
Si di_ce che...
p

(Loudly in her natural voice)
CIESCA (con voce naturale e forte)
No-o-o!?
Nooooo!?
p
MAR-CO, COME LIS - TEN TO WHAT THEY ARE SAY - ING.
Mar - co, lo sen - ti che di - co - no a Si - gna?
p
CIESCA
(Whispers into Marco's ear)
(parla piano all'orecchio di Marco)
THEY'RE SAY-ING THAT...
Si di - ce che...
MARCO
(Spoken)
(parlato)
EH?!
Eeeeh?!
4
p
ZITA
(In a lamenting tone)
(piagnucolosa)
BUT WHY__ CAN'T WE ALL KNOW WHAT'S BE-ING SAID?...
Ma insom - ma pos - sia - mo sa - pe - re...
WHAT
che
BETTO
THAT'S JUST WHAT THEY'RE SAY-ING.
Lo di - co - no a Si - gna.
(Drum)
(Tamburo)

ZITA
IS IT THAT EV'-RY-ONE'S SAY-ING?
dia-mi-ne di-co-no a Si-gna?
BETTO
p
THERE'S BEEN CER-TAIN GOS-SIP...
Ci son del-le vo-ci...
BETTO
SOME HOR-RI-BLE RU-MORS I'VE HEARD THAT, FOR IN-STANCE, THE NEIGHBORS ARE SAY-ING:
dei mez-zi di-scor-si... Di-ce-van jer-se-ra dal Ci-sti-jor-na-jo:
rit.
p
BETTO
"IF BUO-SO DIES NOW THE FRI-ARS PRO-FIT!" THEY'RE SAY-ING:
"Se Buo-so cre-pa, pei fra-ti è man-na! Di-ran-no:
5
a tempo

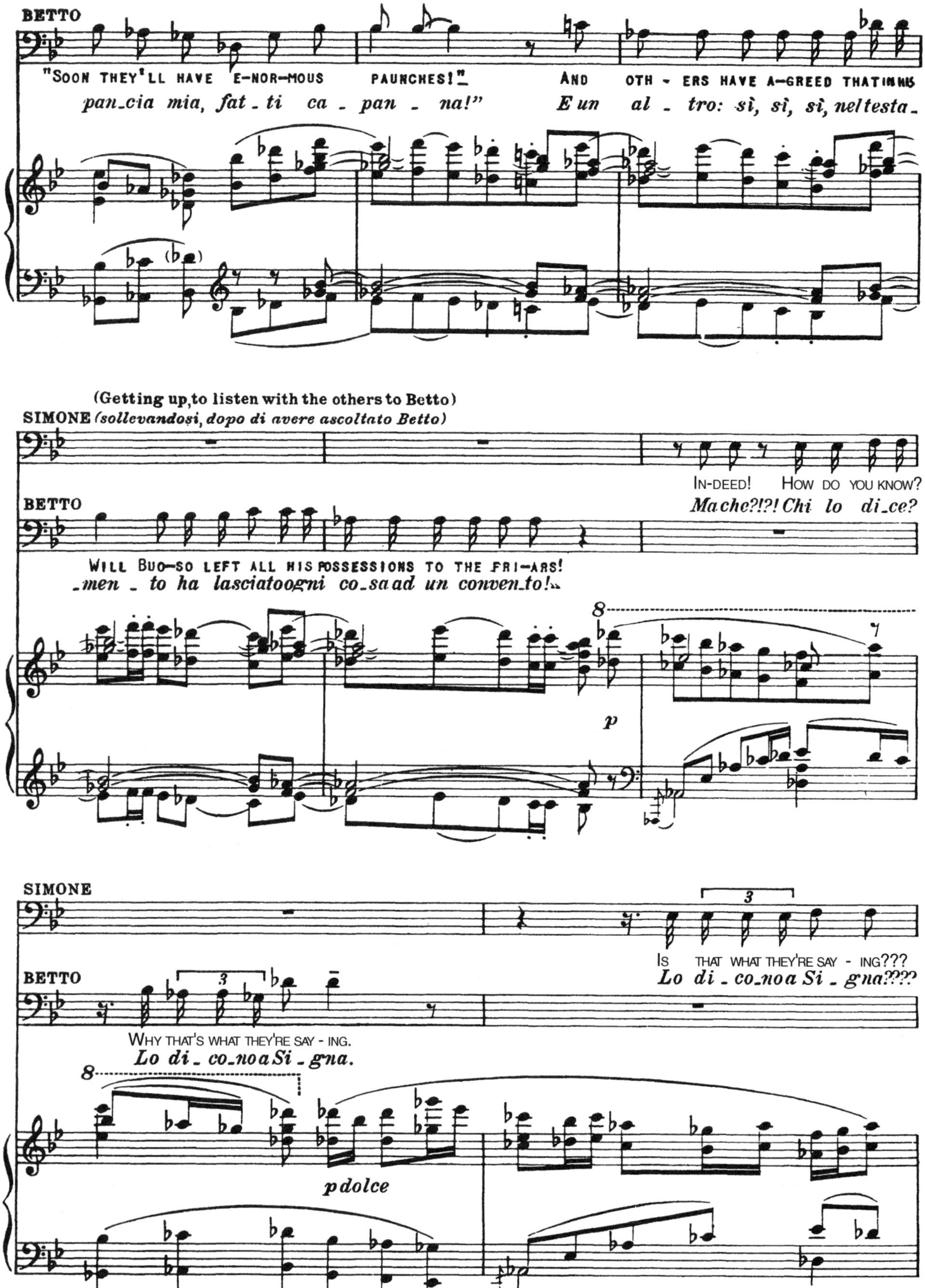
BETTO
"SOON THEY'LL HAVE E-NOR-MOUS PAUNCHES!" AND OTH - ERS HAVE A-GREED THAT IN HIS
pan_cia mia, fat - ti ca - pan - na!" E un al - tro: sì, sì, sì, nel testa_
(Getting up, to listen with the others to Betto)
SIMONE (sollevandosi, dopo di avere ascoltato Betto)
IN-DEED! HOW DO YOU KNOW?
Ma che?!?! Chi lo di_ce?
BETTO
WILL BUO-SO LEFT ALL HIS POSSESSIONS TO THE FRI-ARS!
_men - to ha lasciato ogni co_sa ad un conven_to!»
p
SIMONE
IS THAT WHAT THEY'RE SAY - ING???
Lo di - co_no a Si - gna???
BETTO
WHY THAT'S WHAT THEY'RE SAY - ING.
Lo di - co_no a Si - gna.
p dolce

(Though still kneeling, the relatives now keep their bodies erect)
(I parenti sono sempre in ginocchio, ma non pensano più alle preghiere e si guardano l'un l'altro, sorpresi)
ZITA
THAT'S JUST WHAT THEY'RE SAY-ING!
CIESCA
Lo di_co_no a Si_gna!
THAT'S JUST WHAT THEY'RE SAY-ING!
SI-MO-NE?
NELLA
Lo di_co_no a Si_gna!
Si_mo_ne?
THAT'S JUST WHAT THEY'RE SAY-ING!
RINUCCIO
Lo di_co_no a Si_gna!
THAT'S JUST WHAT THEY'RE SAY-ING!
GHERARDO
Lo di_co_no a Si_gna!
THAT'S JUST WHAT THEY'RE SAY-ING!
OH! SI-MO-NE?
Lo di_co_no a Si_gna!
O Si_mo_ne?
MARCO
THAT'S JUST WHAT THEY'RE SAY-ING!
Lo di_co_no a Si_gna!
BETTO
THAT'S JUST WHAT THEY'RE SAY-ING!
Lo di_co_no a Si_gna!
p
ZITA
WON'T YOU SPEAK, YOU'RE THE OLD-EST...
MARCO
Par_la, tu se'il più vecchio...
YOU AL-SO WERE ONCE THE MAY-OR OF FU_
Tu se' an_che sta_to po_de_stà a Fu_
6
p

ZITA
WHAT DO YOU THINK?
Che ne pen-si?
MARCO
-CECCHIO...
-cecchio...
WHAT DO YOU THINK?
Che ne pen-si?
(thinks a while, then with an air of gravity)
(riflette un istante, poi dice gravemente)
SIMONE
IF BUO-SO'S
Se il te-sta-
p
SIMONE
WILL IS SEEN BY AN-Y LAW- - YER...
-mento è in ma-no d'un no - ta - jo...
THERE'S NO HOPE! ALL IS
chi lo sa? For-se è un

SIMONE
O - - VER! IF HOW-E-VER THE WILL HAS BEEN HIDDEN IN THIS CHAM-BER MAY-BE THEIR
gua - jo! Se pe - rò ce l'a-ves-se lasciato in questa stan - za, gua - jo pei
p
cresc.
ZITA
p
MAY - BE THEIR
CIESCA
p Gua - jo pei
MAY - BE THEIR
NELLA
p Gua - jo pei
MAY - BE THEIR
RINUCCIO
p Gua - jo pei
MAY - BE THEIR
GHERARDO
p Gua - jo pei
MAY - BE THEIR
Gua - jo pei
MARCO
p
MAY - BE THEIR
Gua - jo pei
SIMONE
PAUNCH-ES WON'T BE SO E- NOR - - MOUS!
fra - ti, ma per noi: spe - ran - za!
BETTO
p
MAY - BE THEIR
Gua - jo pei
f
p

(All jump to their feet)
(Tutti si alzano di scatto)
ZITA
PAUNCH-ES WON'T BE SO E - NOR - - - - - - MOUS!
fra - ti, ma per noi spe - ran - za!
CIESCA
PAUNCH-ES WON'T BE SO E - NOR - - - - - - MOUS!
fra - ti, ma per noi spe - ran - za!
NELLA
PAUNCH-ES WON'T BE SO E - NOR - - - - - - MOUS!
fra - ti, ma per noi spe - ran - za!
RINUCCIO
PAUNCH-ES WON'T BE SO E - NOR - - - - - - MOUS! (O LAUR-
fra - ti, ma per noi spe - ran - za! (O Lau -
GHERARDO
PAUNCH-ES WON'T BE SO E - NOR - - - - - - MOUS!
fra - ti, ma per noi spe - ran - za!
MARCO
PAUNCH-ES WON'T BE SO E - NOR - - - - - - MOUS!
fra - ti, ma per noi spe - ran - za!
BETTO
PAUNCH-ES WON'T BE SO E - NOR - - - - - - MOUS!
fra - ti, ma per noi spe - ran - za!
cresc.
stringendo il tempo
RINUCCIO
- ET - TA, MY SWEET BE - LOV - ED, WE'LL PIN OUR HOPES ON UNC-LE BUO-SO'S
-ret - ta, a - mo-re mi - o, spe-riam nel te - stamen-to del-lo
f

(Gherardo comes back alone and joins Nella in a feverish search. Betto notices a silver tray bearing on top a silver seal and silver scissors. Cautiously he stretches his hand towards the tray, but is disturbed
(Gherardo rientra solo e si unisce a Nella nella ricerca febbrile. Betto adocchia un bel piatto d'argento sul quale vi è uno stile e un pajo di forbici, pure d'argento. Cautamente guardingo allunga una mano per ag.

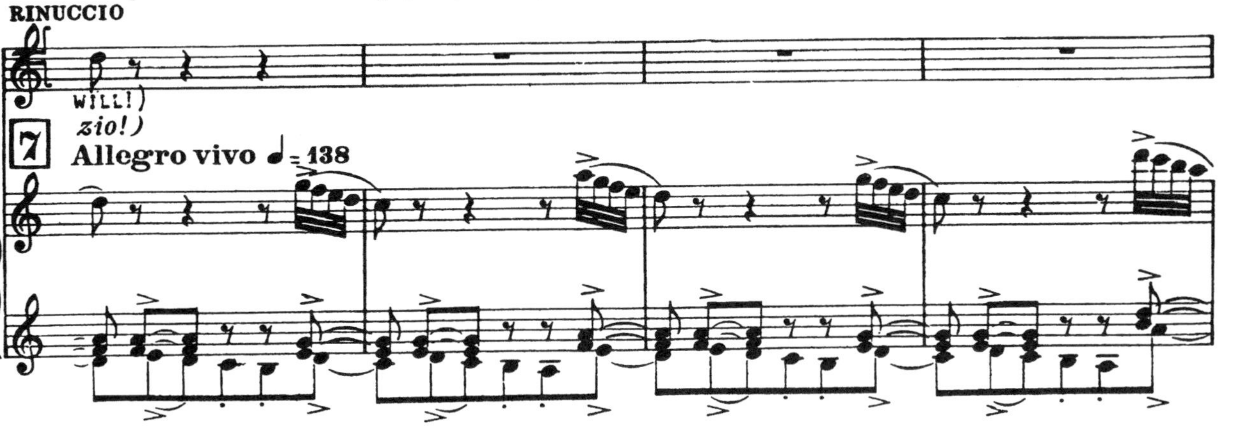

by a false alarm from Simone.)
guantare il contenuto del piatto; ma un falso allarme di Simone lo disturba)

(All turn round. Betto has an innocent look on his face; Simone, scanning a parchment more closely)
(Tutti si voltano; Betto fa il distratto; Simone guarda meglio una pergamena)

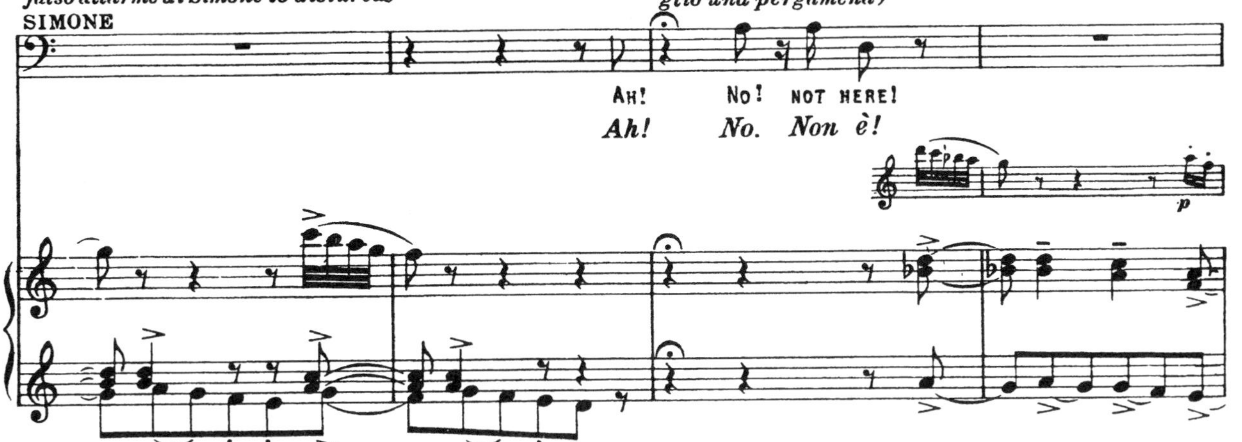

(The search starts again. Betto grabs the seal and scissors; he rubs them hard on the cloth of his sleeve after first breathing hard upon them several times. He examines them critically and puts them in his pocket. He is now slowly pulling the tray towards himself; but an exclamation from the old woman makes them all turn round.)
(Si riprende la cerca; Betto agguanta le forbici e lo stile, le striscia al panno della manica e li mette in tasca. Ora tenta di trafugare il piatto; allunga la mano, ma un falso allarme di Zita fa voltare tutti.)

(Scanning the parchment more closely)
ZITA (cacciando la testa nello stipo)
No! NOT HERE!
No. Non c'è!
(The search starts again. The relatives, frenzied, do not know where to look,
(Si riprende più affannosamente la cerca. I parenti, inferociti, non sanno più
8
turn everything in the room over, rummage in the boxes, and chests etc, under the bed. The air is full of
dove cercare; buttano all'aria tutto nella camera: rovistano i cassetti, le credenze, le cassapanche, sotto il letto.
flying papers. Betto profits by the confusion and grabs the tray and puts it under his coat, holding it
Le pergamene, le carte volano per l'aria. Betto approfitta di questa confusione per agguantare il piatto e per
mf
tight in place with his arm.)
nasconderlo sotto il vestito, tenendolo assicurato colle mani.)

(Rinuccio, who is mounted on a chest of drawers, on top of a ladder,
(Rinuccio, che è salito allo stipo in cima alla scala,

(All rush towards him with outstretched hands to grab
(Tutti accorrono colle mani protese per afferrare il te.
ZITA
No! NOT HERE!...
CIESCA No! non c'è!...
No! NOT HERE!...
NELLA No! non c'è!...
No! NOT HERE!...
No! non c'è!...
RINUCCIO
succeeds in opening it)
riesce ad aprirlo)
(crying out)
(gridando)
I'VE FOUND IT! I'VE FOUND___ IT! HERE IS THE
Sal - và - ti! Sal - và - ti! Il te - sta -
GHERARDO
DID YOU FIND IT?
Do_ve sia?...
MARCO
DID YOU FIND IT?
Do_ve sia?...
SIMONE
No! NOT HERE___
No! non c'è!...
BETTO
No! NOT HERE___
No! non c'è!...
the will, but Rinuccio, holding the parchment tightly in his left hand, raises his right, to stop the avalanche of relatives)
stamento. Ma Rinuccio mette il rotolo di pergamena nella sinistra e protende la destra come per fermare lo slancio dei parenti)
RINUCCIO
WILL___ OF BUO - SO DO - NA - TI! AUNT, I HAVE FOUND THE
-men - to di Buo - so Do - na - ti! Zia, l'ho tro - va - to
10
Sostenendo
dim.
cresc.
poco allarg.
f

RINUCCIO
WILL! BE - FORE WE READ IT YOU MUST MAKE A PRO - - MISE; IF UNC-LE
io!... Co_me com_pen_so, dimmi se lo zi - o, po_ve_ro
a Tempo
p
RINUCCIO
BUO - - SO LEFT ME AN-Y PART OF ALL HIS MON - EY, AND WE
zi - o! m'a - ves_se lascia_to be_ne be - ne, se tra
RINUCCIO
ALL SHOULD BE-COME IM-MENSE-LY WEALTH-Y YOU WON'T TRY TO PRE - VENT IT A - NY LONG - ER — YOU WILL
po, co si fos_se tut_ti ric_chi in un giorno di festa co_me que_sto, mi da_
incalzando e cresc.
RINUCCIO
GIVE YOUR CON-SENT FOR ME TO MAR-RY MY LAUR - ET - TA, THE DAUGHTER OF GIAN - NI
_resti il consen_so di spo - sa_re la La_u - ret_ta figlio_la del - lo
p
cresc:
pp

RINUCCIO
SCHIC – CHI?
Schic _ chi?
FOR NOTH – ING ELSE ON
Mi sem _ bre _ rà più
RINUCCIO
EARTH COULD MAKE ME HAP – – PIER THAN IF I KNEW THAT SOON WE WOULD BE
dol _ ce il mio re _ dag _ gio...po trei spo _ sar _ la per Ca _ len _ di _
f
ff poco allarg.
CIESCA
OF
Ma
RINUCCIO
MAR – – RIED!
_mag _ gio!
GHERARDO
OF COURSE!
Ma sì!
MARCO
OF
Ma
SIMONE
OF COURSE!
Ma sì!
BETTO
OF
Ma
11
a tempo moderando
p

CIESCA
COURSE!
si!
NELLA
WE'LL TALK A-BOUT IT LA - TER!
C'è tempo a ri_par - lar_ne!
RINUCCIO
(insistently)
(insistendo)
I WANT YOUR PROMISE WE CAN SOON BE
Potrei sposarla per Ca_len - di -
GHERARDO
WE'LL TALK A-BOUT IT LA - TER!
C'è tempo a ri_par - lar_ne!
MARCO
COURSE!
sì!
SIMONE
COURSE!
sì!
poco rall.
poco rit:
CIESCA
YOU CAR - RY ON LIKE THAT WHEN WE'RE ALL SO VE-RY
Lo ve_di che si sta col - le spine sot_to i
RINUCCIO
MAR - RIED!
maggio!
GHERARDO
COME LET US HAVE THE PA - PER!
Qui, presto il testa_men_to!
MARCO
COME LET US HAVE THE PA - PER!
Qui, presto il testa_men_to!
a tempo, moderando

ZITA
IF WE FIND EV-ERY-THING IN OR - DER: MARRY WHOM YOU PLEASE!
Se tutto an - drà co - me si spe - ra, spo - sa chi vuoi,
CIESCA
NER - VOUS?
pie - di?
RINUCCIO
(hands the will to the old woman)
(dando il testamento alla vecchia)
AUNT!
Zia!
Andantino ♩=84
(Zita goes to the table and sits down; the relatives
(Zita va al tavolo e vi si siede: i parenti la seguono
ZITA
I'M REAL-LY QUITE IN - DIFF'-RENT.
sia pu - re la ver - sie - ra.
RINUCCIO
AH! MY UN - CLE WOULD AL - WAYS TREAT ME
Ah! lo zio mi vo - le - va tan - to
rall.
All.° come prima
col canto
p
follow and wait. Zita looks for the scissors to cut the ribbon round the roll, but cannot find them. She
e l'attorniano. Zita cerca le forbici per tagliare i nastri del rotolo; non trova le forbici. Guarda intor-
RINUCCIO
KIND - LY. I'M AL - MOST CER - TAIN HE HAS LEFT ME SOME - THING.
be - ne, m'a - vrà la - scia - to co - le ta - sche pie - ne!
p

looks around scanning the faces of the other relatives. Betto's expression is inscrutable. Zita tears the rib-
no i parenti, sospettosa; Betto non sa che viso pigliare. La Zita strappa il nastro colle mani ed apre: appare
(to Gherardino who comes back, in a whisper)
(a Gherardino, che è tornato ora in scena, sottovoce)
RINUCCIO
p
HUR - RY TO GIANNI SCHICCHI, TELL HIM TO COME AT ONCE
Cor_ri da Gianni Schicchi, di_gli che ven_ga qui
12
bon off with her fingers. She unrolls the parchment from which a second roll appears-the one containing the will)
una seconda pergamena che avvolge ancora il testamento)
RINUCCIO
AND TO BRING LAURETTA: FOR RINUC - CIO DI BUO - SO NEEDS AS - SIST - ANCE!
col_la La - u_ret_ta: c'è Rinuc_cio di Buo _ so che l'a _ spet _ ta!
RINUCCIO (giving him two coins)
(dandogli due monete)
(Gherardino rushes out)
(Gherardino corre via)
THESE COINS WILL COME IN HAND - Y; SEE IF THEY'LL BUY SOME CAND - Y!
A te due po_po _ li _ ni: compratii con_for _ ti _ ni!
p
dim. e rall:

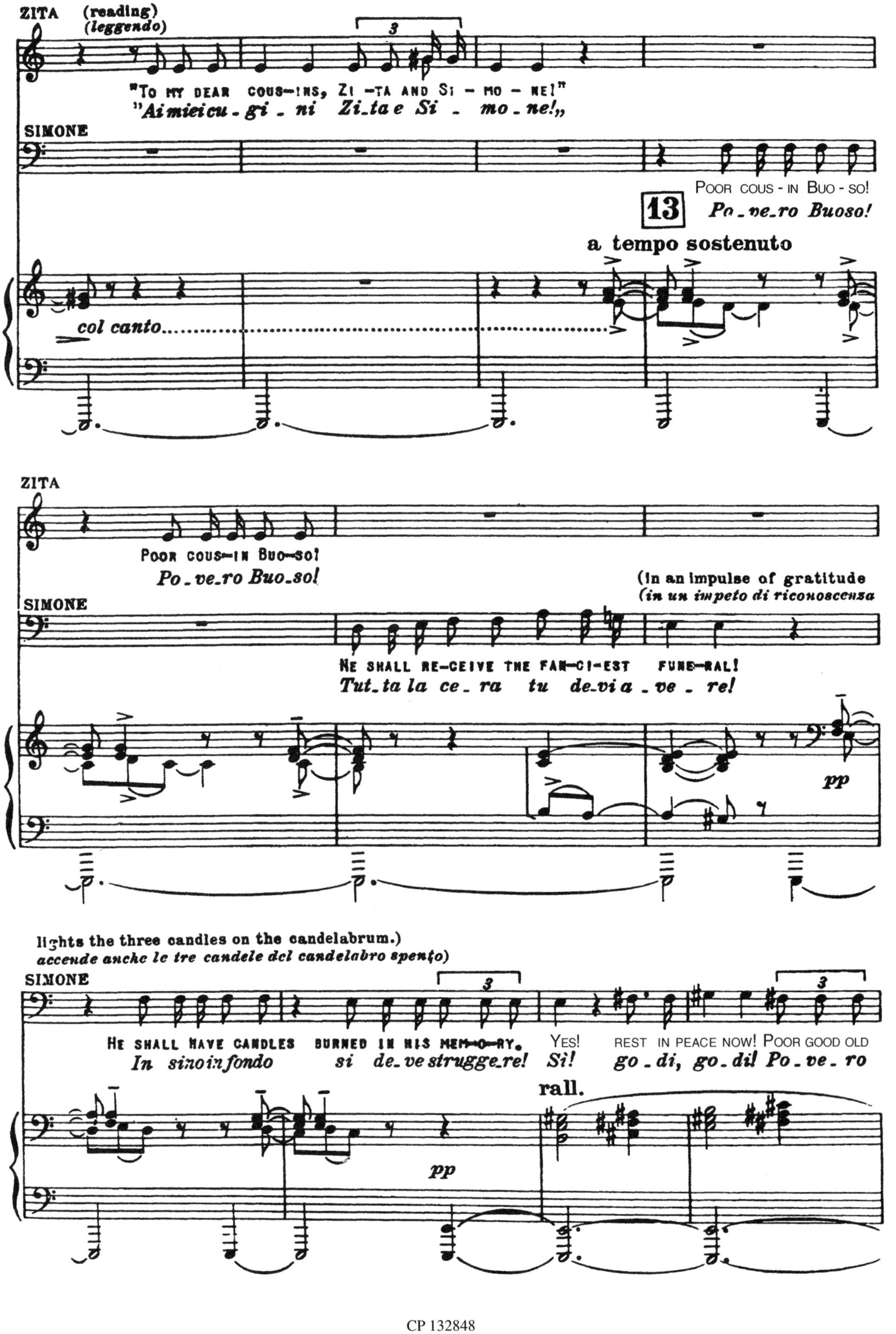
ZITA (reading)
(leggendo)
"To my dear cous-ins, Zi-ta and Si-mo-ne!"
"Ai miei cu-gi-ni Zi-ta e Si-mo-ne!"
SIMONE
Poor cous-in Buo-so!
Po-ve-ro Buoso!
13
a tempo sostenuto
col canto
ZITA
Poor cous-in Buo-so!
Po-ve-ro Buo-so!
(in an impulse of gratitude
(in un impeto di riconoscenza
SIMONE
He shall re-ceive the fan-ci-est fune-ral!
Tut-ta la ce-ra tu de-vi a-ve-re!
pp
lights the three candles on the candelabrum.)
accende anche le tre candele del candelabro spento)
SIMONE
He shall have candles burned in his mem-o-ry.
In sino in fondo si de-ve strugge-re!
Yes! rest in peace now! Poor good old
Sì! go-di, go-di! Po-ve-ro
rall.
pp

ZITA
p
POOR GOOD OLD BUO - SO!
Po - ve-ro Buo - so!
CIESCA
p
pp
POOR GOOD OLD BUO - SO! HOW I HOPE HE HAS GI-VEN ME THIS MANSION!
Po - ve-ro Buo - so! Se m'a - ves - se la-sciato questa ca-sa!
NELLA
p
pp
POOR GOOD OLD BUO - SO! HOW I HOPE HE HAS GI-VEN ME THIS MANSION!
Po - ve-ro Buo - so! Se m'a-ves - se la - sciato questa ca-sa!
RINUCCIO
p
POOR GOOD OLD BUO - SO!
Po - ve-ro Buo - so!
GHERARDO
p
pp
POOR GOOD OLD BUO - SO! HOW I HOPE HE HAS LEFT_ ME THIS HOUSE!
Po - ve-ro Buo - so! Se m'a - ves - se la-sciato questa ca-sa!
MARCO
p
pp
POOR GOOD OLD BUO - SO! HOW I HOPE HE HAS LEFT ME THIS HOUSE!
Po - ve-ro Buo - so! Se m'a-ves - se la - sciato questa ca-sa!
SIMONE
BUO - SO!
Buo - so!
BETTO
p
POOR GOOD OLD BUO-SO!
Po - ve-ro Buo - so!
p

ZITA
AND THE SAW-MILLS AT SI-GNA!
CIESCA
Ei mu-li-ni di Si-gna!
AND THE SAW-MILLS AT SI-GNA!
NELLA
Ei mu-li-ni di Si-gna!
AND HIS MULE!
GHERARDO
Poi la mu-la!
AND THE SAW-MILLS AT SI-GNA!
MARCO
Ei mu-li-ni di Si-gna!
AND THE SAW-MILLS AT SI-GNA!
AND HIS MULE!
Ei mu-li-ni di Si-gna!
Poi la mu-la!
BETTO
OH! I HOPE HE HAS
Se m'aves-se la-
p
ZITA
SI-LENCE! IT'S
CIESCA
Zitti! È a-
AND THE SAWMILLS AT SI-GNA!
GHERARDO
I mu-li-ni di Si-gna!
AND THE SAWMILLS AT SI-GNA!
MARCO
I mu-li-ni di Si-gna!
THE MULE AND THE SAW-
SIMONE
La mu-la i mu-li...
THE MULE AND THE SAWMILLS AT SIGNA!
BETTO
La mula e i mu-li-ni di Signa!
LEFT ME...
-scia-to...

(Behind the old woman standing close to the table, will in hand, the relatives press on top of each other as
(Zita è in mezzo col testamento in mano: ha dietro a sè un grappolo umano. Marco e Betto so-

tightly as they can, Marco and Betto have climbed on a chair. All their faces can plainly be seen, absorbed in
no saliti sopra una sedia per veder meglio. Tutti i visi sono assorti nella lettura.

the reading of the will. All mouths can be seen moving as when people read without emitting actual sounds.
Le bocche si muovono come a chi legge da sè a sè, senza emettere voce. A un tratto i visi si

Suddenly a cloud overshadows all faces, until they take on a tragic look. Till the old woman fairly drops
cominciano a rannuvolare, arrivando poco a poco ad una espressione tragica. Zita si abbandona

on the stool placed in front of the desk, letting the will fall on the ground. All are petrified.)
su di una sedia, lasciando cadere a terra il testamento. Tutti sono come impietriti.)

(Simone is the first to move, seeing the three candles, he blows them out. He drops the bed curtains
(Simone solo si volge, vede le tre candele accese; soffia, le spegne. Cala le sarge del letto e spegne gli

completely, and puts all the candles out. Slowly, the other relatives move towards different chairs and sit down. There they stay, like graven images, eyes wide open and staring straight ahead)

altri candelabri. Gli altri parenti vanno ciascuno a cercare una sedia, una cassapanca e vi si sprofondano, muti, gli occhi sbarrati, fissi.)

CIESCA
MUST WE__ SEE THE MON - - - EY THAT HE COL -
SIMONE
Tut - ti quei bei fio - ri - - ni ac - cu - mu -
NA - - TI!
- na - - ti!
17
CIESCA
LECT - - ED BE - QUEATHED TO A PACK OF GOOD FOR NOTHING
- la - - ti fi - ni - re nel - le to - nache dei
CIESCA
FRI - ARS!
fra - ti!
MARCO
WHILE ALL OF US ARE SUFF'RING FROM STAR - VA - - - - TION
Pri - va - re tutti noi d'una so - stan - - za,
p cresc.
f
mf
p
calando
MARCO
p
THEY'LL BE FEAST - ING ON THE RICH - ES OF DO - NA - - - - - - TI!
18
ei fra - ti far sguaz - zar nel - l'ab - bon - dan - - - za!
p
f
mf

BETTO
AM I DOOMED TO BE LEFT FOR-EV-ER THIRST - Y
Io do - vrò mi-su - rarmi il be-re a Si - gna
p
BETTO
WHILE THE FRI-ARS GUZ-ZLE WINES OF RAR - EST
e i fra-ti be-ve - ran - no il vin di
NELLO
EV' - RY MEAL THAT IS SERVED WILL BE A
Si fa - ran - no slar-gar spes-so la
BETTO
VINT - AGE!!
vi - gna!
19
f p
NELLO
BAN - QUET WHILE WE ARE LEFT HERE STARV - ING
cap - pa, noi schiante - rem di bi - le,

NELLA
WITH - OUT A MOR - SEL!
e lo - ro pap - pa!
RINUCCIO
WHY MUST I GIVE UP
La mia fe - li - ci -
20
P cresc.
RINUCCIO
ALL MY PLANS FOR MAR - - - - - - - RIAGE TO
- tà sa - rà ru - ba - - - ta dal -
mf
RINUCCIO
SAT - IS - FY A PACK OF GREED - Y FRI - - - - - - - ARS ?"
- l'"O - pe - ra di San - ta Re - pa - ra - - - ta!"
GHERARDO
NOW GATH - ER 'ROUND THE
A - pri - te le di -

GHERARDO
CON - VENT DIN - NER TA - BLE, YOU GREED - Y GLUT - TONS CAN
-spen - se dei con - ven - ti! Al - le - gri, fra - ti, ed
(Little by little the frenzy of the relatives reaches its zenith; they leave their seats, searching franti-
A poco a poco l'ira e l'esaltazione dei parenti giunge al colmo; lasciano i sedili, si aggirano furibon-
ZITA
MUST WE BE CON - TENT WITH
Ec - co - vi le pri - mi - zie
GHERARDO
GORGE UN - TIL YOU'RE BURST - ING!
ar - ro - ta - te i den - ti!
-cally round the room, cursing and swearing, breaking into sardonic bursts of laughter, like the
-di per la camera, alzano i pugni imprecando, scoppiano in risa sardoniche che esplodono come urla di dan-
ZITA
BREAD AND WA - TER WHILE THEY ALL LIVE A LIFE OF EASE AND
di mer - ca - to! Fa - te schioccar la lin - gua col pa -
cries of the damned.)
-nati.)
ZITA
PLEN - TY! YOU STU - PID LA - ZY FRI - ARS, GOOD FOR NOTH - INGS!
-la - to! A voi, po - ve - ri fra - ti! Tor - di gras - si!

ZITA
AND A
Becca -
NELLA
VEN- I-SON!
Lo.do.le!
GHERARDO
AND A PART-RIDGE!
Or.to - la - ni!
SIMONE
O - PEN THE LARDER!
Quagliepi.na.te!
8
f
ZITA
SALM-ON!
- fi - chi!
HERE'S A PIG - LET!
Or.to - la - ni!
SIMONE
HERE IS A TUR - KEY STUFFED WITH CHEST-NUTS!
Qua.gliepi - na - te! O.cheingras.sa - te!
BETTO
AND A
Egal.
21
8
3
ff

ZITA
WHY NOT PHEAS - ANT?
Gal_let _ ti _ ni!!
CIESCA
A CHICK-EN? WHY NOT PHEAS-ANT?
Gal_let _ ti?? Gal_let _ ti _ ni!!
NELLA
A CHICK-EN? WHY NOT PHEAS-ANT?
Gal_let _ ti?? Gal_let _ ti _ ni!!
RINUCCIO
(shouting)
(gridando)
A CHICK-EN? WHY NOT PHEAS-ANT? YES, PHEAS - ANT WITH
Gal_let _ ti?? Gal_let _ ti _ ni!! Gal _ let _ ti di
GHERARDO
A CHICK-EN? WHY NOT PHEAS-ANT?
Gal_let _ ti?? Gal_let _ ti _ ni!!
MARCO
WHY NOT PHEAS-ANT?
Gal_let _ ti _ ni!!
SIMONE
WHY NOT PHEAS-ANT?
Gal_let _ ti _ ni!!
BETTO
CHICK - EN!
_let _ ti!
WHY NOT PHEAS-ANT?
Gal_le _ ti _ ni!!
3
3

ZITA
THEN WITH THEIR FAC - ES ROS - Y RED AND
E col - le fac - ce ros - se e ben pa -
CIESCA
VEN - I - SON STEWED WITH
Lo - do-leegal-let -
NELLA
VEN - I - SON STEWED WITH
Lo - do-leegal-let -
RINUCCIO
WATERCRESS AND TRUF - - - FLES!
can-to te - ne - ri - - ni!
GHERARDO
VEN - I - SON STEWED WITH
Lo - do-leegal-let -
MARCO
THEN WITH THEIR FAC - ES ROS - Y RED AND
E col - le fac - ce ros - se e ben pa -
SIMONE
LOOK AT THEIR FAC - ES ROS - Y RED AND
E col - le fac - ce ros - se e ben pa -
BETTO
LOOK AT THEIR FAC - ES ROS - Y RED AND
E col - le fac - ce ros - se e ben pa -
3
3

ZITA
BLOAT - ED, THEY'LL LAUGH OUT LOUD AT US; HA! HA! HA! HA!
- sciu - te, ri - de - te - vi di noi: ha! ha! ha! ha!
CIESCA
GRA - VY! LOOK AT THE POOR DO - NA - TI!
- ti - ni!! Ec - co - lo là un Do - na - ti!
NELLA
GRA - VY! LOOK AT THE POOR DO - NA - TI!
- ti - ni!! Ec - co - lo là un Do - na - ti!
RINUCCIO
LOOK AT THE POOR DO - NA - TI!
Ec - co - lo là un Do - na - ti!
GHERARDO
GRA - VY! LOOK AT THE POOR DO - NA - TI!
- ti - ni!! Ec - co - lo là un Do - na - ti!
MARCO
BLOAT - ED, THEY'LL LAUGH OUT LOUD AT US; HA! HA! HA! HA!
- sciu - te, ri - de - te - vi di noi: ha! ha! ha! ha!
SIMONE
BLOAT - ED WITH GREASE AND GRA - VY DRIP-PING DOWN THEIR CAS - SOCKS,
- sciu - te, schiz - zan - do dal - le go - te la sa - lu - te!
BETTO
BLOAT - ED WITH GREASE AND GRA - VY DRIP-PING DOWN THEIR CAS - SOCKS,
- sciu - te, schiz - zan - do dal - le go - te la sa - lu - te!

ZITA
HO! HO! HO! LOOK AT THEM ALL! LOOK AT THE POOR DO - NA - TIS!
ah! ah! ah! Ec - co - lo là! Ec - co - lo là un Do - na - ti!
CIESCA
HO! HO! HO! LOOK AT THEM ALL! LOOK AT THE POOR DO - NA - TIS!
ah! ah! ah! Ec - co - lo là! Ec - co - lo là un Do - na - ti!
NELLA
HO! HO! HO! LOOK AT THEM ALL! LOOK AT THE POOR DO - NA - TIS!
ah! ah! ah! Ec - co - lo là! Ec - co - lo là un Do - na - ti!
RINUCCIO
HO! HO! HO! LOOK AT THEM ALL! LOOK AT THE POOR DO - NA - TIS!
ah! ah! ah! Ec - co - lo là! Ec - co - lo là un Do - na - ti!
GHERARDO
HO! HO! HO! LOOK AT THEM ALL! LOOK AT THE POOR DO - NA - TIS!
ah! ah! ah! Ec - co - lo là! Ec - co - lo là un Do - na - ti!
MARCO
HO! HO! HO! LOOK AT THEM ALL! LOOK AT THE POOR DO - NA - TIS!
ah! ah! ah! Ec - co - lo là! Ec - co - lo là un Do - na - ti!
SIMONE
HO! HO! HO! LOOK AT THEM ALL! LOOK AT THE POOR DO - NA - TIS!
ah! ah! ah! Ec - co - lo là! Ec - co - lo là un Do - na - ti!
BETTO
HO! HO! HO! LOOK AT THEM ALL! LOOK AT THE POOR DO - NA - TIS!
ah! ah! ah! Ec - co - lo là! Ec - co - lo là un Do - na - ti!
(Trumpetes)
(Trombe)
cresc.

ZITA
HO! HO! HO! LOOK AT THEM ALL! THEY WERE THE ONES THAT WANT -ED ALL THE
ah! ah! ah! Ec - co-lo là! E la vo-le - va lui l'e - re - di -
CIESCA
HO! HO! HO! LOOK AT THEM ALL! THEY WERE THE ONES THAT WANT -ED ALL THE
ah! ah! ah! Ec - co-lo là! E la vo-le - va lui l'e - re - di -
NELLA
HO! HO! HO! LOOK AT THEM ALL! THEY WERE THE ONES THAT WANT -ED ALL THE
ah! ah! ah! Ec - co-lo là! E la vo-le - va lui l'e - re - di -
RINUCCIO
HO! HO! HO! LOOK AT THEM ALL! THEY WERE THE ONES THAT WANT -ED ALL THE
ah! ah! ah! Ec - co-lo là! E la vo-le - va lui l'e - re - di -
GHERARDO
HO! HO! HO! LOOK AT THEM ALL! THEY WERE THE ONES THAT WANT -ED ALL THE
ah! ah! ah! Ec - co-lo là! E la vo-le - va lui l'e - re - di -
MARCO
HO! HO! HO! LOOK AT THEM ALL! THEY WERE THE ONES THAT WANT -ED ALL THE
ah! ah! ah! Ec - co-lo là! E la vo-le - va lui l'e - re - di -
SIMONE
HO! HO! HO! LOOK AT THEM ALL! THEY WERE THE ONES THAT WANT -ED ALL THE
ah! ah! ah! Ec - co-lo là! E la vo-le - va lui l'e - re - di -
BETTO
HO! HO! HO! LOOK AT THEM ALL! THEY WERE THE ONES THAT WANT - ED ALL THE
ah! ah! ah! Ec - co-lo là! E la vo-le - va lui l'e - re - di -
cresc. molto
(Trumpets)
(Trombe)

ZITA
GOLD! So LAUGH YOU FRI - - - - ARS___ GO RIGHT AHEAD AND
- tà! Ri - de - te,o fra - - ti,___ ri - de - te al - la
CIESCA
GOLD! So LAUGH YOU FRI - - - - - ARS___ GO RIGHT AHEAD AND
- tà! Ri - de - te,o fra - - ti,___ ri - de - te al - la
NELLA
GOLD! So LAUGH YOU FRI - - - - - ARS___ GO RIGHT AHEAD AND
- tà! Ri - de - te,o fra - - ti,___ ri - de - te al - la
RINUCCIO
GOLD! So LAUGH YOU FRI - - - - - ARS___ GO RIGHT AHEAD AND
- tà! Ri - de - te,o fra - - ti,___ ri - de - te al - la
GHERARDO
GOLD! So LAUGH YOU FRI - - - - - ARS___ GO RIGHT AHEAD AND
- tà! Ri - de - te,o fra - - ti,___ ri - de - te al - la
MARCO
GOLD! So LAUGH YOU FRI - - - - - ARS___ GO RIGHT AHEAD AND
- tà! Ri - de - te,o fra - - ti,___ ri - de - te al - la
SIMONE
GOLD! So LAUGH YOU FRI - - - - - ARS___ GO RIGHT AHEAD AND
- tà! Ri - de - te,o fra - - ti,___ ri - de - te al - la
BETTO
GOLD! So LAUGH YOU FRI - - - - - ARS___ GO RIGHT AHEAD AND
- tà! Ri - de - te,o fra - - ti,___ ri - de - te al - la

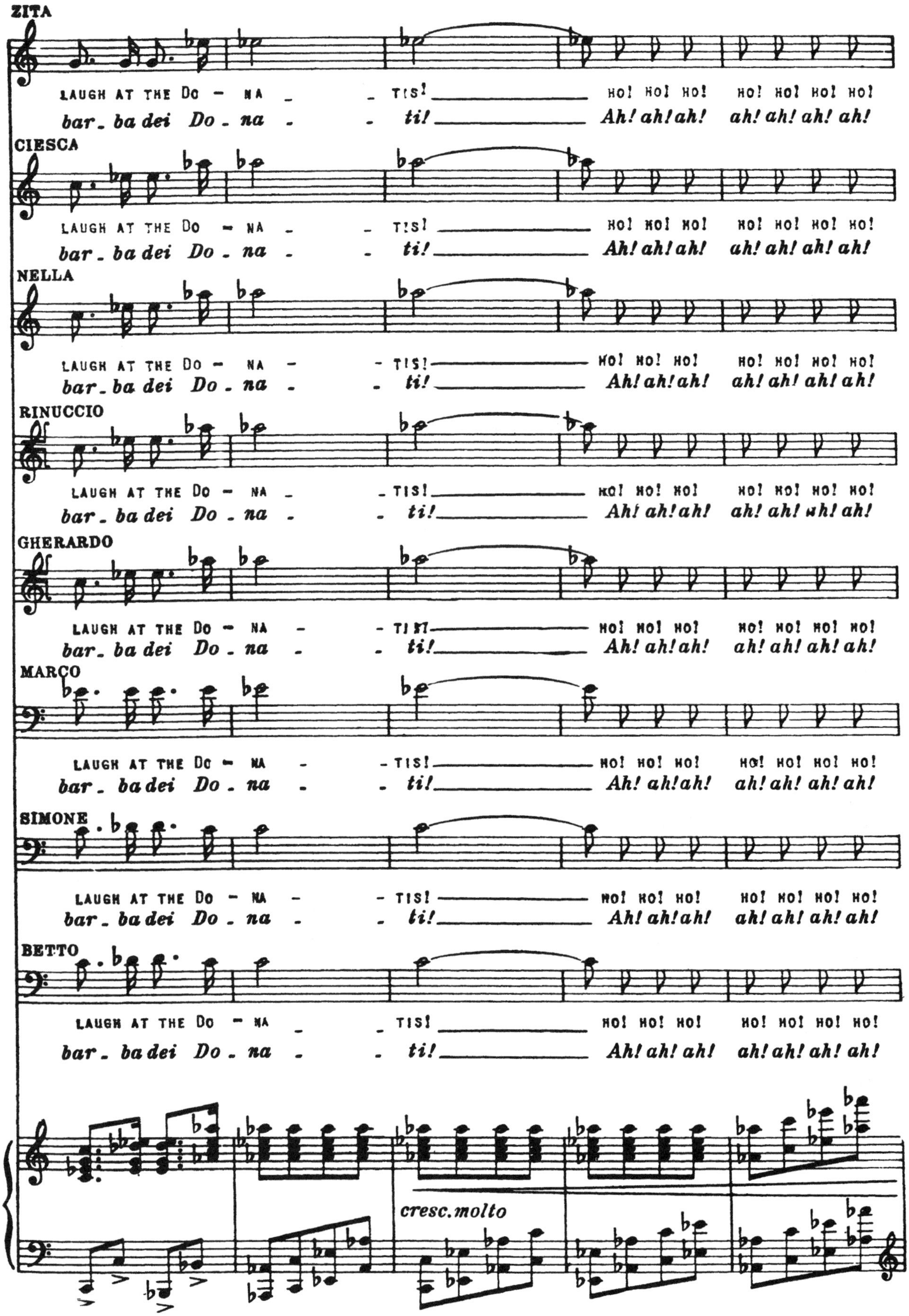
ZITA
LAUGH AT THE DO - NA - TIS! HO! HO! HO! HO! HO! HO! HO!
bar - ba dei Do - na - ti! Ah! ah! ah! ah! ah! ah! ah!
CIESCA
LAUGH AT THE DO - NA - TIS! HO! HO! HO! HO! HO! HO! HO!
bar - ba dei Do - na - ti! Ah! ah! ah! ah! ah! ah! ah!
NELLA
LAUGH AT THE DO - NA - TIS! HO! HO! HO! HO! HO! HO! HO!
bar - ba dei Do - na - ti! Ah! ah! ah! ah! ah! ah! ah!
RINUCCIO
LAUGH AT THE DO - NA - TIS! HO! HO! HO! HO! HO! HO! HO!
bar - ba dei Do - na - ti! Ah! ah! ah! ah! ah! ah! ah!
GHERARDO
LAUGH AT THE DO - NA - TIS! HO! HO! HO! HO! HO! HO! HO!
bar - ba dei Do - na - ti! Ah! ah! ah! ah! ah! ah! ah!
MARCO
LAUGH AT THE DO - NA - TIS! HO! HO! HO! HO! HO! HO! HO!
bar - ba dei Do - na - ti! Ah! ah! ah! ah! ah! ah! ah!
SIMONE
LAUGH AT THE DO - NA - TIS! HO! HO! HO! HO! HO! HO! HO!
bar - ba dei Do - na - ti! Ah! ah! ah! ah! ah! ah! ah!
BETTO
LAUGH AT THE DO - NA - TIS! HO! HO! HO! HO! HO! HO! HO!
bar - ba dei Do - na - ti! Ah! ah! ah! ah! ah! ah! ah!
cresc. molto

(Their frenzy, having reached its climax, abates somewhat and the argument starts again, a few of the rela-
(L'esasperazione, giunta al colmo, si placa poco a poco e subentra di nuovo l'abbattimento; qualcuno dei
22
ff
dim.
tives are now weeping in earnest.)
parenti piange davvero.)
ZITA
(WHO WOULD EV - ER HAVE THOUGHT WHEN OUR COUSIN BUO-SO DEPARTED FROM THE
(Chi l'a-vrebbe mai det - to che quando Buoso andava al cimi-
rall: Meno, quasi Andantino
p
ZITA
(weeping)
(piagnucolosa)
LIV - ING
-te - ro,
WE WOULD FEEL SO TRU-LY BROK-EN - HEART - ED!)
si sa-reb-be pianto per dav - ve - ro!)
dim: e rall:
pp
23
I. Tempo
(Slowly each one
(Lentamente ognuno

finds a chair again, and subsides on to same)
cerca di nuovo una sedia per cadervi sopra)
allargando a poco a poco...
rall. molto
(all are subdued, again overcome)
(tutti sono seduti, nuovamente impietriti)
ZITA
p con poca voce, spedito
IF IT ON-LY WERE POS-SI-BLE...
E non c'è nes_sun mez _ zo...
RE-AR-
per gi_
CIESCA
p con poca voce, spedito
IF IT ON-LY WERE POS-SI-BLE...
E non c'è nes_sun mez _ zo...
NELLA
p con poca voce, spedito
IF IT ON-LY WERE POS - SI - BLE...
E non c'è nes_sun mez _ zo...
MARCO
p
RE - AR-
...per gi_
SIMONE
p
TO EX - CHANGE IT...
...per cam_biar _ lo?
BETTO
p
TO EX - CHANGE IT...
...per cam_biar _ lo?
24
Andante

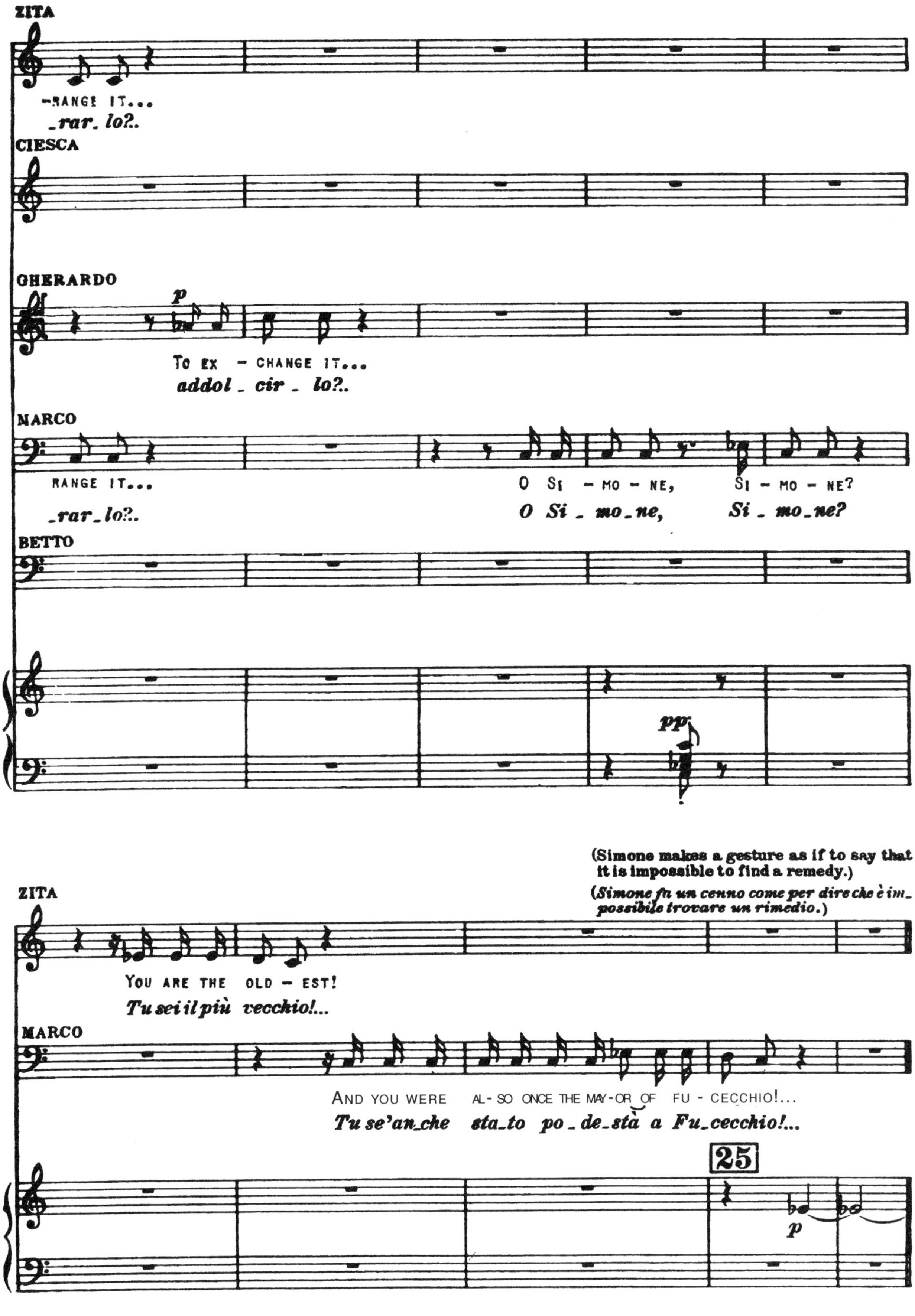
ZITA
-RANGE IT...
rar lo?..
CIESCA
GHERARDO
p
TO EX - CHANGE IT...
addol _ cir _ lo?..
MARCO
RANGE IT...
_rar_lo?..
O SI - MO - NE, SI - MO - NE?
O Si _ mo_ne, Si _ mo_ne?
BETTO
pp
(Simone makes a gesture as if to say that it is impossible to find a remedy.)
(Simone fa un cenno come per dire che è impossibile trovare un rimedio.)
ZITA
YOU ARE THE OLD - EST!
Tu sei il più vecchio!...
MARCO
AND YOU WERE AL-SO ONCE THE MAY-OR OF FU - CECCHIO!...
Tu se'an_che sta_to po_de_stà a Fu_cecchio!...
25
p

ZITA
CIESCA
NELLA
RINUCCIO
MARCO
SIMONE
BETTO
Who?
Chi?
One man a - lone I know of who might help to ad-vise us; p'raps e - ven save us...
C'è u_na per_so_na so_la che ci può con_si_glia_re, for_se sal - va_re...
Andante sostenuto
p
(they all make a gesture of disappointment)
(gesto di disillusione dei parenti)
(furious)
(furibonda)
If Gianni Schicchi, or his
Di Gianni Schicchi, del - la fi -
Gianni Schic - chi!
Gianni Schicchi!
Allegro
f
p

ZITA
(emphatically)
(con forza)
DAUGHTER IS EV - ER MENTIONED TO ME A - GAIN......
-glio - la, non vo' sen - tir - ne par - lar mai più!
WILL YOU BE SOR - RY!!
E inten - di be - ne!...
mf
p
ZITA
CIESCA
NELLA
GHERARDINO
(rushing in, out of breath, yells at the top of his voice)
(entrando di corsa, urlando)
HE SAYS HE'S COM - ING!
E qui che vie - ne!
RINUCCIO
GHERARDO
MARCO
SIMONE
BETTO
WHO?
Chi?
26
f
p

ZITA
WHO COULD HAVE CALLED HIM?
Chi l'ha chia - ma - to?
GHERARDINO
GIANNI SCHIC - CHI!
Gianni Schic - chi!
RINUCCIO
I WANT-ED
Io l'ho man-
p
ZITA
(furiously)
(furente)
AND IF HE COMES
Ah! ba - da! se
CIESCA
(grumblingly)
(brontolando)
IF SCHIC - CHI WAS EV - ER UN-WEL-COME THEN
È proprio il mo - men-to d'a-ver Gianni
NELLA
(grumblingly)
(brontolando)
IF SCHIC - CHI WAS EV - ER UN-WEL-COME THEN
È proprio il mo - men-to d'a-ver Gianni
RINUCCIO
SCHICCHI TO COME AND HELP US.....
-da - to, per-chè spe - ra - vo...
pp

ZITA
NEAR ME I'LL GIVE HIM A KICK WHERE HE'LL FEEL IT!
sa_le, gli fo ruz_zo_la_re le sca_le!
CIESCA
THIS IS THE MO - MENT!
Schicchi fra i pie_di!
NELLA
THIS IS THE MO - MENT!
Schicchi fra i pie_di!
(to Gherardino, spanking him)
(a Gherardino, sculacciandolo)
GHERARDO
HERE-AF - TER TAKE
Tu de_vi ob_be_
(grumblingly)
MARCO (brontolando)
IF SCHIC-CHI WAS EY - ER UN - WEL - COME THEN THIS IS THE MO - MENT!
È proprio il mo_men_to d'a_ver Gianni Schicchi fra i pie_di!
(grumblingly)
SIMONE (brontolando)
IF SCHIC-CHI WAS EY - ER UN - WEL - COME THEN THIS IS THE MO - MENT!
È proprio il mo_men_to d'a_ver Gianni Schicchi fra i pie_di!
(throws him into the room to the right on top of the stairs)
(lo caccia nella stanza a destra in cima alla scala)
GHERARDO
ORDERS FROM NONE BUT YOUR FA - - - THER! THERE! THERE!
_di_re sol_tan_to a tuo pa - dre: là! là!
f

SIMONE
27
A DO - NA - TI TO MAR - RY THE DAUGHTER OF A
Un Do_na_ti spo_sa_re la fi_glia d'un vil_
ZITA
AND HIS BACKGROUND IS NO-THING TO BE PROUD OF! HE IS A
D'u_no sce_so a Fi_ren_ze dal con_ta_do! Im_pa_ren_
SIMONE
FARMER!
_la_no!
Meno
f
f
ZITA
(emphatically)
(con forza)
VUL - GAR AND RE-VOLT-ING PEAS-ANT! I WILL NOT HAVE HIM COME HERE! THAT'S FINAL!
_tar_si col_la gen_te no_va!.... Io non vo_glio che ven_ga! Non vo_glio!
cresc.
mf

RINUCCIO
You are mis - - taken! He's clever and cun-ning, knows all the
A - ve - te torto! È fi_ne! a - stu_to... O - gni ma_
28
Moderato ♩ = 60
ff
f
p
RINUCCIO
tricks of the trade and a few of his own; he's no-body's fool! Sly as a
_li - zia di leg - gi e co - di - ci co - no - sce e sa. Mot_teg_gia_
mf
p
mf
3
RINUCCIO
vix - en, sharp as a needle___ and should an - y-one have a special problem,
_to - re!..Bef_feg - gia - to - re!.. C'è da fa_re u_na bef_fa nuova e ra - ra?
mf
RINUCCIO
a rigor di tempo
Then Gianni Schicchi will find the an - swer. When his
È Gianni Schicchi che la pre - pa - ra! Gli occhi
f

RINUCCIO
EYES ARE IL - LU - MINED LIKE A CAT'S IN A GLOOM – Y CORNER, AND HIS
fur - bi gli il_lu_mi_nan di ri_so lo stra - no vi_so, ombreg-
Sostenendo
RINUCCIO
FACE GETS A CROOKED LITTLE SMILE THEN WE KNOW THAT HE IS READY FOR "A" PRANK!
-gia - to da quel suo gran na - so - ne che pare un tor_rac_chio_ne per co - sì!
poco rit.
RINUCCIO
a tempo
29
mf
WHERE DID HE COME FROM? WHY BOTHER? DOES IT
Vien dal con - ta - do? Eb - be_ne? Che vuol
RINUCCIO
MATTER? WHY MUST YOUR SIL - LY PRIDE– RU - IN OUR CHANCES?
di - re? Ba - sta con queste ub - bie....., grette e pic - ci - ne!
Sostenuto, quasi a piacere
f

RINUCCIO (as a Tuscan stornello)
(ad uso di stornello toscano)
30
Andte mosso un po' sostº ♩ = 92
OUR FLORENCE IS A PROUD AND ANCIENT CIT – Y______ HER
Fi_ren_ze è come un al_be_ro fio_ri_to______ che in
f
mf
RINUCCIO
IN– FLU– ENCE AND BEAUTY ARE UN – E – QUALED. MARSHALLING ALL HER VIGOR AND AU –
piaz_za dei Si_gnori ha tronco e fronde, ma le ra_di_ci for_ze nuove ap_
RINUCCIO
THOR – I – TY______ SHOWING THE WORLD HER POW – ER AND HER SPLENDOR!
_por_ta_no______ dal_le con_val_li lim_pi_de e fe_con_de!
p
cresc:
ff
RINUCCIO
THOUGH THE COUNTRY HAS MAN–Y LOVE–LY CIT – IES,
E Fi_ren_ze ger_moglia ed al_le stel_le
p

RINUCCIO
GREATEST IN ALL THE WORLD TODAY IS FLO - RENCE!
sal_gon pa_la_gi sal_di e tor_ri snel _ le!
poco allargando
31
Andante sostenuto
f
RINUCCIO
cresc. ed allarg.
ff
dim.
HERE MEANDER - ING
L'Ar - no, pri - ma di
Come il tempo primo (And.te mosso)
p (mormorando)
RINUCCIO
GENT - LY THROUGH THE COUN - - - - - - - - - - - TRY
cor - re_re al - la fo - - - - - ce,
RINUCCIO
WAN - - - DERS THE AR - - - NO, MIGHT - IEST OF
can - ta ba - cian - do piaz - za San - ta
p

RINUCCIO
RIV - - ERS, SOFT - LY CALL - ING THE WA - TERS THAT SUR - ROUND HER TO
Cro - ce, e il suo can - to è sì dol - ce e sì so - no - ro che a
p
cresc.
5
RINUCCIO
JOUR - NEY ON - WARD TO - GE - THER TO THE O - - CEAN!
lui son sce - si i ru - scel - let - ti in co - ro!
mf
3
RINUCCIO
IN THIS FA - SHION OUR CUL - TURE HAS AL - WAYS FLOURISHED,
Co - sì scen - dan - vi dot - ti in ar - ti e scien - ze
p
p cresc.
RINUCCIO
WITH EV - ERY MANNER OF NO - BLE - MAN AND MER - CHANT.
a far più ric - ca e splen - di - da Fi - ren - ze!
32
mf

RINUCCIO
HERE WE HAVE GATHERED MEN OF ART AND SCIENCE, WORKING TO – GETHER TO CRE–
E di val d'El_sa giù dal_le ca_stel_la ben venga Ar_nol_fo a far la
Un po' sostenuto
ben posate le note e pp
RINUCCIO
ATE OUR FLO – RENCE. AR – NOL – FO GIOT – TO, AR – CHI – TECT AND PAINTER, THE
tor_re bel_la! E ven_ga Giot_to dal Mu_gel sel_vo_so, e il
cresc:
RINUCCIO
ME – DI – CI, SO FEAR–LESS AND COU – RA – GEOUS,
Me_di_ci mer_can_te co_rag_gio_so!
dim.
p
RINUCCIO
THESE WERE THE MEN WHO HELPED TO BUILD OUR CIT – Y.
Ba_sta con gli o_dî gret_ti e coi ri_pic_chi!
sempre a tempo
cresc:

RINUCCIO
LONG LIVE THEIR TRUE SUC - CES - SOR, GIAN - N SCHIC - CHI!
Vi - va la gen - te no - va e Gian - ni Schic - chi!
poco rit.
a tempo
ff
RINUCCIO
33
ff
p
pp
p
RINUCCIO
(A knock is heard at the door)
(si bussa alla porta)
p
HE'S HERE!
È lui!
cresc.
(Rinuccio opens the door;
(Rinuccio apre la porta;
enter Gianni Schicchi followed by Lauretta)
entra Gianni Schicchi seguito da Lauretta)

RINUCCIO
p
(Lauret - ta!)
(Lauret_ta!)
(stops on the threshold and looks round at the relatives)
(si sofferma sulla porta, guardando merav'gliato la fila desolata dei parenti)
GIANNI SCHICCHI
p
What a pic-ture of sor-row and de-so-la-tion!
(Qua_le a_spet_to sgo _ men_to e de_so_la_to!
34
pp
LAURETTA
p
(Rino!)
(Rino!)
(sottovoce)
But what is
Per_chè sì
RINUCCIO
(sottovoce)
Oh my be-loved!
A_mo_re mio!
GIANNI SCHICCHI
Buoso Do-na-ti's health must be im- - prov-ing!
Buoso Do_na_ti, cer_to, è mi_glio _ ra_to!)
Lo stesso movimento
p dolce
LAURETTA
troubling you?
pal_li_do?
What is the mat-ter?
Eb_be_ne, par_la...
RINUCCIO
Poor un-cle Buo-so...
Ahi_mè, lo zio...
Oh, Lau-ret-
A_mo_re, a_
rall:

LAURETTA
WHAT A MIS-FOR-TUNE!
(Quan-to do - lo - re!)
RINUCCIO
TIN - A, WHAT A MIS - FOR - TUNE!
-more, quanto do - lo - re!)
(Gianni slowly advances into the room and noting the candelabra round the bed)
(Gianni lentamente avanza nella camera e vede i candelabri intorno al letto)
GIANNI SCHICCHI
35
AH! HE'S
Ah! An -
GIANNI SCHICCHI
(aside)
(fra sè)
LEFT US? (BUT I WONDER WHY THEY'RE MOURNING? I'VE NEVER SEEN BEREAVEMENT BET - TER
-da - to? (Per-chè stanno a la-gri - ma - re? Ti re-ci - ta - no me - glio d'un giul
Andantino ♩= 63
GIANNI SCHICCHI
(loudly - falsely)
(forte, con intonazione falsa)
ACT - ED!) AH! I KNOW THAT YOUR GRIEF MUST BE UN-BEAR-A - BLE...
-la - re!) Ah! com - pren-do il do-lor di tan-ta per-di - ta...

GIANNI SCHICCHI
YOUR SOR - ROW MOVES ME DEEP - LY!
Ne ho l'a - ni - ma com-mos - sa...
rit.
p
GIANNI SCHICCHI
YES! IT MUST HAVE...
Eh! son co - se...
GHERARDO
YES, OUR LOSS HAS COM-PLETE-LY O - VER - WHELMED US!
Eh! la per - di ta è sta - ta pro-prio gros - sa!
GIANNI SCHICCHI
BUT! IT CAN'T BE HELPED! IT'S COM-MON KNOW-LEDGE, WHAT YOU LOSE ON THE
Mah!... Co - me si fa!... In que - sto mon - do u - na co - sa si
m.s.

GIANNI SCHICCHI
ONE HAND, YOU GAIN ON THE OTH - ER;...THE LOSS OF BUO - SO MEANS MON-EY IN THE
per - de,... u - na si tro - va;... si perde Buo - so..., ma c'è l'e - re - di-
m.s.
poco rit.
rall:
ZITA
(darting forward)
(scattando)
EXACT - - LY! FOR THE FRI - ARS!
Si - cu - ro! Ai fra - ti!
GIANNI SCHICCHI
BANK!
-tà!...
AH!
Ah!
36
All° vivo
f
fp
ZITA
HE'S LEFT US NOTHING, YES! YES! HE'S LEFT US NOTH-ING!
Di - se - re - da - ti! Sì, sì, di - se - re - da - ti!
GIANNI SCHICCHI
I UNDER - STAND NOW!
di - se - re - da - ti?
fp

ZITA
BUT IT DOES – N'T CON – CERN YOU! SO TAKE YOUR LIT – TLE
E per _ ciò ve lo can _ to: pi _ glia _ te la fi _
P cresc:
ZITA
DAUGH – TER AND LEAVE THIS VE – RY MO – – – – – MENT!
_ glio _ la, le _ va _ te _ vi di tor _ – _ no,
p
ZITA
I WILL NEV – ER CON – SENT TO A GIRL WITH – OUT A
io non do mio ni _ po _ te ad u _ na sen _ za
p
ZITA
DOW _ – – _ RY!
do _ – – _ te!
RINUCCIO
BUT
O
37
cresc.
fp

ZITA
THAT IS OF NO IM - POR - TANCE!
Non me n'importa un cor - no!
LAURETTA
DAD - DY, DAD-DY, I LOVE HIM!
bab - bo, bab - bo, lo vo - glio!
RINUCCIO
AUNT, YOU KNOW I LOVE HER!
zia, io l'a - mo, l'a - mo!
GIANNI SCHICCHI
MY CHILD, WHERE IS YOUR PRIDE?
Fi - gliola, un po' d'or - go - glio!
cresc.
GIANNI SCHICCHI
BRA - VO OLD WOM - AN! BRA - VO! FOR A DOW-RY YOU'D SA-CRI-FICE MY
Bra - va la vec - chia! Bra - va! Per la do - te sa - cri fi - chi mia
38 And.te sostenuto
fp
LAURETTA
RI -
Ri -
GIANNI SCHICCHI
DAUGHTER AND YOUR NEPHEW! BRA - VO OLD WOM-AN! BRA-VO! YOU ARE A
fi - glia e tuo ni - po - te! Bra - va la vecchia! Bra - va! Vecchia tac -
f

ZITA
THAT IS AN
An _ che m'in_
LAURETTA
NUC - - CIO, DO NOT LEAVE ME! YOU HAVE PRO-MISED
_nuc _ _ cio, non la_sciar _ mi! L'hai giu_ra _ to
RINUCCIO
LAURET - TA DEAR, YOU PRO - MISED ME, PRO-MISED YOU'D LOVE FOR-
Lauret _ ta mia, ri _ cor _ da _ ti! Tu m'hai giu _ ra _ to a _
GIANNI SCHICCHI
WRETCH! YOU'RE A GREEDY, MISERLY AND WICKED WOM- AN!
_ca _ gna! stil _ li _ na! sordida! spi_lor _ cia! gret _ ta!
Allegro energico 𝅗𝅥 = 160
f
ZITA
IN - SULT! NO ONE WILL MAR-RY THE BOY WITHOUT A DOW - RY, A VE - RY GEN'ROUS
_sul _ ta! Sen _ za la do _ te non do, non do il ni _ po _ te, non do, non do il ni_
LAURETTA
UN - DER THE MOON AT FIE - SO - LE! YOU HAVE PRO - - MISED,
sot _ to la lu _ na a Fie _ so _ le! L'hai giu_ra _ _ to
RINUCCIO
EV- ER. UN - DER THE MOON AT FIE - SO - LE ;
_mo _ re! E quella se _ ra Fie _ so _ le sem _

ZITA
(pulling Rinuccio towards right)
(tirando Rinuccio a destra)
DOW - RY! RI - NUC - CIO, STOP IT, STOP ALL THIS NON - - SENSE! I'M
-po - te! Ri - nuc - cio, vie - ni, la - sciali an - da - re, sa -
LAURETTA
PRO-MISED ME WHEN YOU KISSED ME! PLEASE DO NOT
quando tu m'hai ba - cia - to! No, non la -
RINUCCIO
SWORE I'D LOVE YOU AL - WAYS, FOR - EV - ER MORE! AND
-bra-va tut - to un fio - re! Ri - cor - da ti, ri -
(dragging Lauretta towards door on left)
(tirando Lauretta a sinistra)
GIANNI SCHICCHI
WE DO NOT
Ah! vie - ni!
ZITA
CER - TAIN YOU REAL-LY DO NOT LOVE HER! COME, RI - NUC - CIO! COME
-reb - be un vo-ler-ti ro - vi - na - re! Vie - ni! Vie - - ni! Ma
LAURETTA
LEAVE ME! NO, DO NOT LEAVE ME, RI - NUC - CIO! NO! NO!
-sciar - mi! No, non la - sciar - mi, Ri - nuc - cio! no! no!
RINUCCIO
EV - ER MORE! LAU - RET - TA, MY DAR - LING! FARE-
-cor - da - ti, a - mo - re, a - mo - re! Ad-
GIANNI SCHICCHI
NEED THEM! WHERE IS YOUR PRIDE NOW? COME LAU - RET - TA! AH!
vie - ni! Un po' d'or - go - glio! Vie - ni! Vie - ni! Ah!
poco allarg.
cresc.

ZITA
QUICK-LY!
vie_ni!
RI - NUC - CIO, STOP IT!
Ri_nuc_cio, vie_ni,
LAURETTA
FARE - - WELL THEN, OUR HOPES ARE SHATTERED, FARE-
Ad - - - di - o, speran_za bel_la, s'è
RINUCCIO
-WELL THEN TO LOVE AND RAP-TURE, OUR HOPES ARE SHATTERED! FARE-
_di - o, speran_za bel_la, speran_za bel_la, s'è
GIANNI SCHICCHI
COME NOW LAURET - TA, DAR-LING, COME DRY YOUR EYES, DEAR, YOU'D NEV - ER BE CON-
Vie_ni, Lauret_ta, vie_ni, rasciu_ga gli occhi, sa - reb_be un pa_ren_
a tempo, un po' sostenuto
f
ZITA
I'VE HAD ENOUGH NOW!
ma vie_ni, vie_ni,
AND NO MORE NONSENSE!
lascialianda_re!
LAURETTA
-WELL THEN TO LOVE AND RAP - TURE, FOR NOW WE CAN'T BE
spen - to ogni tuo rag - gio; non ci potrem spo_
RINUCCIO
-WELL THEN TO LOVE AND RAP - TURE, FOR NOW WE CAN'T BE
spen - to ogni tuo rag - gio; non ci potrem spo_
GIANNI SCHICCHI
TENT WITH SUCH A MAR - RIAGE.
_ta_do di pi_toc - chi!
YOU MUST'NT CRY NOW!
Un po' d'orgo - glio!
sostenuto
p

ZITA
WILL YOU GET OUT!
Via,via di qua!
(Shakes off Schicchi and runs to Rinuccio)
(sfugge a Schicchi e corre da Rinuccio)
LAURETTA
MAR - RIED, NO, WE'LL NEVER BE MAR - RIED! DAD-DY, I
-sa - re per il Ca-len-di - mag - gio! Babbo,lo
CIESCA
THESE SIL-LY LOV-ERS!
...fra in-namo-ra-ti!
NELLA
THESE SIL-LY LOV-ERS!
...fra in-namo-ra-ti!
(shakes off his aunt and runs to Lauretta)
(sfugge alla zia e corre da Lauretta)
RINUCCIO
MAR - RIED, NO, WE'LL NEVER BE MAR - RIED! OH, HOW I
-sa - re per il Ca-len-di - mag - gio! O Zia,la
GIANNI SCHICCHI
COME ON, I'M WAITING!
Ah! vie-ni vieni!
GHERARDO
THESE SIL-LY LOV-ERS!
...fra in-namo-ra-ti!
MARCO
THEY'RE AL-WAYS QUARRELING!
An-che le di-spu-te
SIMONE
THEY'RE AL-WAYS QUARRELING!
An-che le di-spu-te
BETTO
THEY'RE AL-WAYS QUARRELING!
An-che le di-spu-te
allargando molto
a Tempo
ff

ZITA
I JUST WON'T HAVE IT!
Ed io non vo glio!
LAURETTA
LOVE HIM!
vo - glio!
CIESCA
THIS IS THE MO - MENT! LET'S SEE A-BOUT THE
Proprioilmo_men _ to! Pen_sa_te al te _ sta _
NELLA
THIS IS THE MO - MENT! LET'S SEE A-BOUT THE
Proprioilmo_men _ to! Pen_sa_te al te _ sta _
RINUCCIO
LOVE HER!
vo - glio!
GIANNI SCHICCHI
NOW, WHERE'S YOUR PRIDE GONE?
Un po' d'or_go _glio!
GHERARDO
THIS IS THE MO - MENT! LET'S SEE A-BOUT THE
Proprioilmo_men _ to! Pen_sa_te al te _ sta _
MARCO
THIS IS THE MO - MENT! LET'S SEE A-BOUT THE
Proprioilmo_men _ to! Pen_sa_te al te _ sta _
SIMONE
THIS IS THE MO - MENT! LET'S SEE A-BOUT THE
Proprioilmo_men _ to! Pen_sa_te al te _ sta _
BETTO
THIS IS THE MO - MENT! LET'S SEE A-BOUT THE
Proprioilmo_men _ to! Pen_sa_te al te _ sta _
stringendo
p
stacc.

ZITA
COME HERE, RI-NUC - CIO!
Ma vie_ni, vie _ ni!
LAURETTA
MY DAR - LING!
A_mo _ re!
CIESCA
WILL NOW! LET'S SEE A-BOUT THE WILL NOW!
_men _ to! Pen_sateal te_sta_men _ to!
NELLA
WILL NOW! LET'S SEE A-BOUT THE WILL NOW!
_men _ to! Pen_sateal te_sta_men _ to!
RINUCCIO
MY DAR - LING!
A_mo _re!
GIANNI SCHICCHI
YOU MEAN OLD WOMAN, YOU ARE HOR-RI-BLE! YOU GREED-Y WRETCH!
Vec_chia tac_ca_gna,gret_ta, sordida, spilor_cia! Via!
GHERARDO
WILL NOW! LET'S SEE A-BOUT THE WILL NOW!
_men _ to! Pen_sateal te_sta_men _ to!
MARCO
WILL NOW! LET'S SEE A-BOUT THE WILL NOW!
_men _ to! Pen_sateal te_sta_men _ to!
SIMONE
WILL NOW! LET'S SEE A-BOUT THE WILL NOW!
_men _ to! Pen_sateal te_sta_men _ to!
BETTO
WILL NOW! LET'S SEE A-BOUT THE WILL NOW!
_men _ to! Pen_sateal te_sta_men _ to!

ZITA
I WILL NOT HAVE IT! COME A - WAY!
No, no, non vo_glio! Via di qua!
LAURETTA
MY DAR - LING!
A _ mo - re!
CIESCA
LET'S SEE A - BOUT THE WILL NOW!
Pen _ sa_te al te _ sta _ men - to!
NELLA
LET'S SEE A - BOUT THE WILL NOW!
Pen _ sa_te al te _ sta _ men - to!
RINUCCIO
MY DAR - LING!
A _ mo - re!
GIANNI SCHICCHI
(pulling Lauretta towards door)
(trascina Lauretta verso la porta)
COME, MY CHILD! LET'S GO AND LEAVE THEM!
via di qua! Ah! vie_ni, vie - ni!
GHERARDO
LET'S SEE A - BOUT THE WILL NOW!
Pen _ sa_te al te _ sta _ men - to!
MARCO
LET'S SEE A - BOUT THE WILL NOW!
Pen _ sa_te al te _ sta _ men - to!
SIMONE
LET'S SEE A - BOUT THE WILL NOW!
Pen _ sa_te al te _ sta _ men - to!
BETTO
LET'S SEE A - BOUT THE WILL NOW!
Pen _ sa_te al te _ sta _ men - to!

ZITA
No! No! No!
No! no! no!
RINUCCIO
(holding Schicchi)
(fermando Schicchi)
MASTER GIO - VAN - NI, WILL YOU WAIT FOR A
SignorGio_van_ni, ri_ma_ne_teun mo
GIANNI SCHICCHI
COME! COME! COME!
Vien! vien! vien!
39
f
p
RINUCCIO
(to Zita)
(a Zita)
MO - MENT! IN - STEAD OF ALL THIS SHOUT-ING, SHOW HIM THE PIECE OF
_men _ to! In _ ve _ ce di sbrai _ ta _ re, da _ te_gli il te _ sta _
RINUCCIO
(to Gianni)
(a Gianni)
PA - PER! THERE'S NO ONE ELSE TO HELP US! I KNOW THAT YOU'RE A
_men _ to! Cer_ca _ te di sal _ var _ ci! A voi non può man _
mf

RINUCCIO
GEN - IUS AT RE - SOLV - ING A PRO - BLEM, FIND - ING A
_ca _ re u _ n'i _ dea por _ ten _ to _ sa, u _ na tro _
RINUCCIO
RE -ME- DY, FINDING AN ERROR, SOME SORT OF LOOP - HOLE!
_ vata, un rimedio, un ri_piego, un e _ spe _ dien _ te!
(pointing to relatives)
(additando i parenti)
GIANNI SCHICCHI
TO BENEFIT THOSE
A pro di quella
GIANNI SCHICCHI
(to Rinuccio)
(a Rinuccio)
VULTURES? NE - VER! NE - VER! NE - VER!
gen_te! Niente! Niente! Niente!
rall:
cresc.
ff

(on one knee, to Gianni Schicchi)
(in ginocchio, dinanzi a Gianni Schicchi)
LAURETTA
OH! MY BE - LOV - ED DAD - - DY, WON'T YOU BE KIND AND
Oh! mio bab - bi - no ca - - ro, mi pia - ce, è bel - lo,
40 Andantino ingenuo ♪ = 120
pp dolce
LAURETTA
HELP US? YOU KNOW I LOVE RI - NUC - CIO,
bel - lo; vo'an - da - re in Por - ta Ros - - sa
pp
LAURETTA
I CAN-NOT LIVE WITH - OUT HIM! OH PLEASE, DO NOT RE - FUSE ME.
a compe - rar l'a - nel - lo! Sì, sì, ci voglio an - da - re!
pp
LAURETTA
HE IS MY LIFE, MY FU - TURE! AND IF WE CAN'T BE MAR - RIED,
e se l'amas - si in - dar - no, an - drei sul Pon - te Vec - chio,
p

LAURETTA
SHALL BE LOST FOR - EV - ER! WITH - OUT HIM LIFE IS
ma per but_tar _ mi in Ar - no! Mi strug_go e mi tor_
p
LAURETTA
pp
O - VER! OH GOD I'D RA-THER DIE!
_men - to! O Di - - - o, vor_rei mo - rir!
dim.
pp
rinforz.
LAURETTA
GIVE US YOUR HELP, I PRAY!
Bab_bo, pie - tà, pie - tà!
rit:
m.d.
(weeping)
LAURETTA (piangendo)
GIVE US YOUR HELP, I PRAY!....
Bab_bo, pie - tà, pie - tà!
rall:
m.d
pp
m.s.

(Reluctantly)
(come chi è costretto ad accondiscendere)
GIANNI SCHICCHI
(Rinuccio hands will to Gianni; walks up and down absorbed in reading.
(Rinuccio dà il testamento a Gianni; questi passeggia, in su e in giù, as-
GIVE ME THE SIL - LY PA - PER!
Da_temi il te_sta _ men _ to!
41
And.te mosso ♩= 100
p
stacc.
The relatives first follow him with their eyes, then, unconsciously, start walking in his footsteps; Simone,
sorto nella lettura. I parenti lo seguono cogli occhi, poi inconsciamente finiscono coll'andargli dietro; Si-
p
stacc.
however remains seated on the bench to the right, and shakes his head doubtfully)
mone, seduto su una cassapanca, scrolla il capo, incredulo.)
3
LAURETTA
(The relatives leave
(I parenti lasciano
p
FARE -
Ad _
RINUCCIO
p
FARE -
Ad _
(Schicchi suddenly stops his pacing)
(Schicchi si arresta di colpo)
GIANNI SCHICCHI
NOTHING CAN HELP YOU!
Niente da fare!
42
f

Schicchi and move up stage; Lauretta and Rinuccio, on one side, are concerned only with their unhappy love affairs)
Schicchi e si avviano verso il fondo della scena; Lauretta e Rinuccio sono appartati, assorti solo nel loro amore deluso)

(Gianni Schicchi starts walking up
(Gianni Schicchi riprende a passeg-

LAURETTA
KNOW THAT FATE WILL NE- VER LET US MAR - RY!
-trem sposare per il Calendimaggio!
RINUCCIO
KNOW THAT FATE WILL NE- VER LET US MAR - RY!
-trem sposare per il Calendimaggio!
stacc.

and down again, reading the will again more closely)
giare, leggendo più attentamente il testamento)

43
cresc.
(The relatives drop again upon their chairs with a thud)
(I parenti si lasciano cadere sulle sedie)
LAURETTA
(sadly)
(con dolore)
FARE - WELL THEN, MY SWEET BE -
Ad - di - o, spe_ran_za
RINUCCIO
(sadly)
(con dolore)
FARE - WELL THEN, MY SWEET BE -
Ad - di - o, spe_ran_za
(halts a step)
(s'arresta di botto)
GIANNI SCHICCHI
NO - THING CAN HELP YOU!
Niente da fa_re!
f
p
(The relatives jump to
(I parenti si rial_
LAURETTA
(joyfully)
(con gioia)
LOV - ED, OUR HOPES AND DREAMS HAVE BEEN SHAT - TERED... PER - HAPS IT'S
bel _ la, s'è spen_to o_gni tuo rag _ gio. (For_se ci
RINUCCIO
(joyfully)
(con gioia)
LOV - ED, OUR HOPES AND DREAMS HAVE BEEN SHAT - TERED... PER - HAPS IT'S
bel _ la, s'è spen_to o_gnituo rag _ gio. (For_se ci
GIANNI SCHICCHI
(in a thundering voice)
(tonante)
AL - THOUGH!
Pe _ rò!
un poco affrettato
rit.
p

their feet again and surround Gianni, looking anxiously at him. Schicchi, motionless in the centre of stage,
sano e circondano Gianni, guardandolo con grande ansietà. Schicchi, immobile nel mezzo della scena, ge_

signs to them to be quiet, gazing straight ahead. Slowly his face becomes severe, he smiles and looks down at the crowd around him...... triumphant)
sticola parcamente, guardando innanzi a sè. A poco a poco il suo viso si rischiara e diventa sorridente, trionfante)

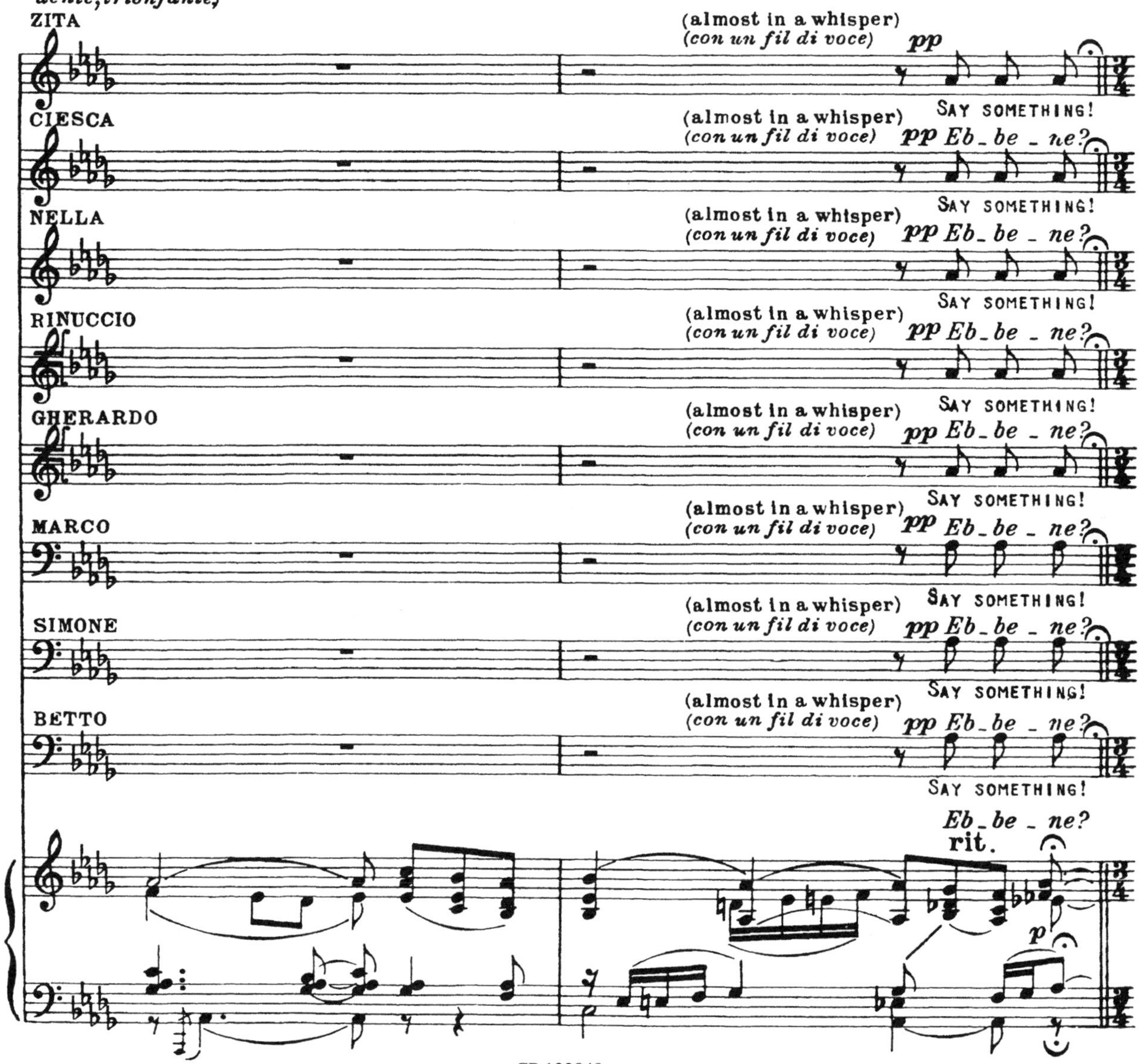

(in a child-like voice)
(con voce infantile)
GIANNI SCHICCHI
LAURETTINA! LOOK WHAT'S ON THE TERRACE; WHY NOT GO AND FEED THE LIT-TLE
Laurettina! va sui terraz-zi-no; porta i mi-nuz-zo-lini all'uc-cel-
a tempo
p
(stopping Rinuccio who wants to follow Lauretta)
(fermando Rinuccio che vuole seguire Lauretta)
GIANNI SCHICCHI
BIRD - IE!
-li - no.
A - LONE.
So - la.
stacc.
(as soon as Lauretta has disappeared, Gianni turns to the relatives)
(Appena Lauretta è uscita, Gianni si rivolge ai parenti)
GIANNI SCHICCHI
lentamente
OUT - SIDE OF US WHO KNOWS A - BOUT DO-
Nes-su-no sa che Buo-so ha re-so il
rall:
44

ZITA
p
OH, NO ONE!!
Nes_su_no!
CIESCA
p
OH, NO ONE!!
Nes_su_no!
NELLA
p
OH, NO ONE!!
Nes_su_no!
RINUCCIO
p
OH, NO ONE!!
Nes_su_no!
GIANNI SCHICCHI
-NA - TI?
fia _ to?
PER-FECT!
Be_ne!
BE CARE-FUL THAT NO ONE EV-EN SUS-
An _ co _ ra nes_su_no de_ve sa_
GHERARDO
p
OH, NO ONE!!
Nes_su_no!
MARCO
p
OH, NO ONE!!
Nes_su_no!
SIMONE
p
OH, NO ONE!!
Nes_su_no!
BETTO
p
OH, NO ONE!!
Nes_su_no!
a tempo And. mosso
(Funeral drum)
(Tamburo funebre)
ppp
pp

ZITA
THEY'LL NEV-ER KNOW A THING!
Nes_su_no lo sa_prà!
CIESCA
THEY'LL NEV-ER KNOW A THING!
Nes_su_no lo sa_prà!
NELLA
THEY'LL NEV-ER KNOW A THING!
Nes_su_no lo sa_prà!
RINUCCIO
THEY'LL NEV-ER KNOW A THING!
Nes_su_no lo sa_prà!
GIANNI SCHICCHI
(seized by a doubt)
(assalito da un dubbio)
PECTS IT.
_per_lo!
BUT THE SER - VANTS?
E i ser - vi?
GHERARDO
THEY'LL NEV-ER KNOW A THING!
Nes_su_no lo sa_prà!
MARCO
THEY'LL NEV-ER KNOW A THING!
Nes_su_no lo sa_prà!
SIMONE
THEY'LL NEV-ER KNOW A THING!
Nes_su_no lo sa_prà!
BETTO
THEY'LL NEV-ER KNOW A THING!
Nes_su_no lo sa_prà!
ZITA
NO ONE BUT US HAS EN - TERED SINCE HE BE-CAME UN-
Do_po l'aggra_va_men_to in ca_me_ra... nes_

ZITA
CON - SCIOUS!
_su _ no!
(to Marco and Gherardo)
(a Marco e a Gherardo)
GIANNI SCHICCHI
NOW YOU RE - MOVE THE BOD - Y, AND YOU THE
Voi due por _ ta_te il mor _ to ei can_de _
(Marco and Gherardo disappear under the bed-curtains and came out again carrying a long red bundle which they carry into the room on the right, Simone, Betto and Rinuccio carry the candelabra away)
(Marco e Gherardo scompariscono fra le sarge del letto e ricompaiono con un fardello rosso che portano nella camera di destra. Simone, Betto e Rinuccio portano via i candelabri)
GIANNI SCHICCHI
CANDLES AND PUT THEM OVER THERE INSIDE THE CLOSET.
_la_bri là den_tro nella stan_za dirim_pet_to!
LADIES, ARRANGE THE
Donne! Ri_fa_te il
(the women start to re-make the bed)
(le donne cominciano a ravviare il letto)
ZITA
p
BUT ...
Ma ...
CIESCA
p
BUT ...
Ma ...
NELLA
p
BUT ...
Ma ...
(at a movement among the women)
(ad un gesto delle donne)
GIANNI SCHICCHI
BED CLOTHES! DO AS I TELL YOU!
let_to! Zit _ te.Obbe _ di _ te!

dim. molto
(all stop, startled)
(si fermano tutti sorpresi)
(to Gianni)
(a Gianni)
affrettando
ZITA
Ah!
Ah!
pp It's Master Spinelloccio, the
Ma - e-stro Spinelloc-cio il dot-
CIESCA
Ah!
Ah!
NELLA
Ah!
Ah!
RINUCCIO
Ah!
Ah!
(in a stifled voice)
(con voce soffocata)
GIANNI SCHICCHI
Who the dev-il is that?
Chi può es - se-re? Ah!
GHERARDO
Ah!
Ah!
MARCO
Ah!
Ah!
SIMONE
Ah!
Ah!
BETTO
Ah!
Ah!
(a knock at the door)
(si bussa alla porta)
45
morendo
col canto

ZITA
DOC – TOR!
-to - re!
GIANNI SCHICCHI
pp
YOU MUSTN'T LET HIM EN – TER! SOME-ONE___ GO AND
Guar-da-te che non pas - si! Di-te-gli qual-che
Mosso
pp
GIANNI SCHICCHI
TELL HIM THAT BUO-SO'S FEEL – ING BET – TER AND IS
co - sa... che Buo-so è mi-glio - ra - to e che ri- -
rall:
(The relatives crowd round the door, and hold it barely ajar. Gianni Schicchi hides himself behind the curtains on the side of the room opposite to the entrance door. Betto draws the shutters to keep out the light.)
(I parenti si affollano alla porta e la schiudono appena, Gianni si nasconde dietro alla sarge, dalla parte opposta a quella dove c'è la porta di ingresso. Betto avvicina gli scuri della finestra.)
GIANNI SCHICCHI
REST – ING.
-po - sa.
(in a nasal voice with a foreign accent.)
(con voce nasale e accento bolognese)
SPINELLOCCIO
MAY I
L'è per-
46
I. Tempo
pp

ZITA
p
GOOD MORN - ING, GOOD DOC-TOR SPINEL - LOC - CIO! HE'S BET-TER!
Buon gior _ no, Ma _ e _ stroSpinel _ loc _ cio! Va meglio!
CIESCA
GOOD MORN - ING, GOOD DOC-TOR SPINEL - LOC - CIO! HE'S
Buon gior _ no, Ma _ e _ stroSpinel _ loc _ cio! Va
NELLA
GOOD MORN - ING, GOOD DOC-TOR SPINEL - LOC - CIO!
Buon gior _ no, Ma _ e _ stroSpinel _ loc _ cio!
RINUCCIO
GOOD MORN - ING, GOOD DOC-TOR SPINEL - LOC - CIO! HE'S
Buon gior _ no, Ma _ e _ stroSpinel _ loc _ cio! Va
GHERARDO
GOOD MORN - ING, GOOD DOC-TOR SPINEL - LOC - CIO! HE'S
Buon gior _ no, Ma _ e _ stroSpinel _ loc _ cio! Va
MARCO
GOOD MORN - ING, GOOD DOC-TOR SPINEL - LOC - CIO! HE'S BET-TER!
Buon gior _ no, Ma _ e _ stroSpinel _ loc _ cio! Va meglio!
SIMONE
GOOD MORN - ING, GOOD DOC-TOR SPINEL - LOC - CIO!
Buon gior _ no, Ma _ e _ stroSpinel _ loc _ cio!
BETTO
GOOD MORN - ING, GOOD DOC-TOR SPINEL - LOC - CIO! HE'S BET-TER!
Buon gior _ no, Ma _ e _ stroSpinel _ loc _ cio! Va meglio!
SPINELLOCCIO
EN - TER?
_ mes _ so.
Un poco meno
pp

ZITA
WHY OF COURSE!
Altro che!
CIESCA
BET-TER!
meglio!
WHY OF
Al_tro
NELLA
HE'S BET-TER!
Va meglio!
WHY OF
Al_tro
RINUCCIO
BET-TER!
meglio!
GHERARDO
BET-TER!
meglio!
MARCO
WHY OF
Al_tro
SIMONE
HE'S BETTER!
Va meglio!
WHY OF COURSE!
Al_tro che!
BETTO
WHY OF COURSE!
Al_tro che!
SPINELLOCCIO
HAS HE REALLY BEEN IM-PROV - ING?
Ha a_vuto il be_ne_fis - sio?
8
ppp

CIESCA
COURSE!
che!
NELLA
COURSE!
che!
MARCO
COURSE!
che!
(Spinelloccio moves to enter;
(Spinelloccio fa per entrare;
SPINELLOCCIO
YOU SEE HOW SCI - ENCE RESTORES THE HEALTH OF MY CLIENTS! WELL LET'S SEE HIM. LET'S
A che po - ten - sa l'è ar - ri - va - ta la sciensa! Be', ve - dia - mo, ve -
mf
p
col canto
ZITA
pp
No! HE'S SLEEPING!
No! ri - po - sa!
CIESCA
pp
HE'S SLEEP - ING!
Ri - po - sa!
(in a trembling voice imitating Buoso)
(con voce contraffatta e tremolante)
GIANNI SCHICCHI
No! No! GOOD DOC - TOR SPINEL -
No! No! Ma - e - stro Spinel -
MARCO
pp
No! HE'S SLEEPING!
No! ri - po - sa!
SIMONE
pp
the relatives shut him out)
i parenti lo fermano)
(insisting)
(insistendo)
HE'S SLEEP - ING!
Ri - po - sa!
SPINELLOCCIO
SEE HIM!
- dia - mo!
BUT I...
Ma io...
rit.
p

(At the sound of the dead man's voice, all the relatives start with fright, but they soon realise that it is Gianni imitating Buoso's voice. However, in his fright, Betto has let the silver tray fall to the floor, the old woman seizes it and puts it back on the table, glaring menacingly at Betto.)

(Alla voce contraffatta di Gianni i parenti danno un traballone, poi si accorgono che è Gianni che contraffà la voce di Buoso. Ma nel traballone a Betto è caduto il piatto d'argento trafugato: la vecchia lo raccatta e lo rimette sul tavolo minacciando Betto.)

GIANNI SCHICCHI
PER - SON! COME THIS EVE - NING.
_na _ to! A sta _ se _ ra.
SPINELLOCCIO
(to the relatives)
(ai parenti)
YES, THIS EVE - NING! EV - EN HIS
A sta _ se _ ra! An_che alla
SPINELLOCCIO
VOICE HAS SHOWN TRE - MEN - DOUS IM - PROVE - MENT! EH! IT'S CER - TAIN - LY A
vo _ ce sen _ to: è mi_glio _ ra _ to! Eh! a me non e mai
SPINELLOCCIO
FACT MY PATIENTS NEV - ER DIE! TO DEATH THEY SHOW DE-FI-ANCE! HOW
morto un amma _ la _ to! Non ho del _ le pre_te _ se. il
p
mf
SPINELLOCCIO
TRU-LY DO THEY DEM - ON-STRATE THE MIR - A - CLES OF SCI - ENCE!
me_ri_to l'è tut_to del_la scuo _ la bo_lo_gne_se!

(The relatives close the door and turn towards Gianni who has emerged from his hiding place. Betto throws the window open again and lets in the light.)

(I parenti chiudono la porta e si volgono a Gianni che è uscito dal suo nascondiglio. Betto va a riaprire le finestre: entra la luce.)

ZITA
YOU WERE PER-FECT!
Ta_le e qua_le!
CIESCA
YOU WERE PER-FECT!
Ta_le e qua_le!
NELLA
YOU WERE PER-FECT!
Ta_le e qua_le!
RINUCCIO
YOU WERE PER-FECT!
Ta_le e qua_le!
GIANNI SCHICCHI
(natural voice)
(con voce naturale)
DID I SOUND LIKE DO-NA-TI?
E_ra egua_le la vo_ce?
THEN WE'VE
Ah! Vit_
GHERARDO
YOU WERE PER-FECT!
Ta_le e qua_le!
MARCO
YOU WERE PER-FECT!
Ta_le e qua_le!
SIMONE
YOU WERE PER-FECT!
Ta_le e qua_le!
BETTO
YOU WERE PER-FECT!
Ta_le e qua_le!
48
Andante mosso

ZITA
No!
No!
CIESCA
No!
No!
NELLA
No!
No!
RINUCCIO
No!
No!
GIANNI SCHICCHI
DONE IT! WE'VE DONE IT! SURE-LY YOU SEE IT? OH! ...
-to - ria! vit - to - ria! Ma non ca - pi - te?.. Ah!...
GHERARDO
No!
No!
MARCO
No!
No!
SIMONE
No!
No!
BETTO
No!
No!
GIANNI SCHICCHI
YOU ARE IDIOTS! GO QUICKLY FOR THE LAW-YER!
che zuc - co - ni! Si cor-re dal no - ta - io.
49
Allegro ♩= 160
ff
f

(very fast, almost breathless)
(veloce, affannato)
GIANNI SCHICCHI
"PLEASE MASTER LAW - YER, HUR - RY! COME TO BUO - SO DON -
«Mes - ser no - ta - io, pre - sto, Via da Buo - so Do -
GIANNI SCHICCHI
A - TI! HE'S CER-TAIN HE IS DY - ING, AND WANTS TO SEE HIS
- na - ti! C'è un granpeggio - ra - men - to! Vuol fa - re te - sta -
mf
GIANNI SCHICCHI
LAW - YER. AND DON'T FOR-GET TO BRING THE LE - GAL PA - PERS.
- men - to! Por - ta - te su con voi le per - ga - me - ne,
8
mf
GIANNI SCHICCHI
IF YOU DON'T HUR-RY IT WILL ALL BE O - VER!"
pre - sto, mes - se - re, se no è tar - di!»
50
p

GIANNI SCHICCHI
(in a natural voice)
(con voce naturale)
AND THEN THE LAW - YER COMES HERE.
Ed il no - ta - io vie - ne.
p
GIANNI SCHICCHI
EN - TERS;
En - tra:
Più calmo
(Funeral drum)
(Tamburo funebre)
pp
p
GIANNI SCHICCHI
p
THE ROOM IS DIM - LY LIGHT - - ED.
la stan - za è se - mi o - scu - - ra,
p
GIANNI SCHICCHI
THERE, BE- FORE HIM IN THE BED
den-tro il let - - to in - tra - ve -
p

GIANNI SCHICCHI
CLOTHES LIES BUO - - SO DO - - - NA - -
- de di Buo - so la fi - gu - -
GIANNI SCHICCHI
- TI!!
- ra!!
GIANNI SCHICCHI
p
HIS HEAD UN - DER - NEATH A
In te - sta la cap - pel - -
51 And.te mod.to e sostenuto ♩ = 66
p
GIANNI SCHICCHI
NIGHT - CAP, HIS FACE COV - ERED UP BY
- li - na! al vi - so la pez - zo - -
poco rit.

GIANNI SCHICCHI
BLANK - ETS; UN-DER THE NIGHT - CAP, BE - TWEEN THE
-li - na! Fra cappel - li - na e pez-zo-
a tempo
GIANNI SCHICCHI
BLANK - ETS, A NOSE LOOKING EX - ACT - LY LIKE BUO - - SO DO -
-li - na un na - so che par quel - lo di Buo - so e in-ve-ce è il
f
mf
p
GIANNI SCHICCHI
NA - TI'S. BUT IN - STEAD OF OLD BUO - SO, IT IS
mi - o, perchè al po - sto di Buo - so ci son
dim.
GIANNI SCHICCHI
I, I, GIAN - NI SCHICCHI WHO'LL IM - I - TATE HIS
i - o. Io, lo Schicchi con al - tra vo - ce e
Sostenuto
f

GIANNI SCHICCHI
VOICE AND PRE-TEND TO BE OLD BUO-SO DO - NA - TI, AND
for-ma! Io fal-si-fi-co in me Buo-so Do - na - ti, te -
poco rit.
p
GIANNI SCHICCHI
WRITE AN-OTH - ER TES - TA - MENT TO SUIT YOU, YOU'LL
-stan-do e dan-do al te-sta-men-to nor-ma! O
cominciando ad allargare
GIANNI SCHICCHI
SEE, THIS IS A MASTERLY CRE-A-TION! YOU MUST A-GREE IT IS SIMPLY IN-
gen - te! questa mat-ta bizzarri-a che mi zam-pil-la nel-la fanta-
rit.
sostenendo
GIANNI SCHICCHI
GE - NIOUS, THE GREAT-EST TRICK THE WORLD WILL EV-ER
-si - a è ta-le da sfi-dar l'e-ter-ni-
allarg.
a tempo
fff

As if choked by emotion the relatives crowd
(Come strozzati dalla commozione i parenti

round Gianni Schicchi: kissing his hands and garments.)
attorniano Gianni Schicchi: gli baciano le mani e le vesti.)

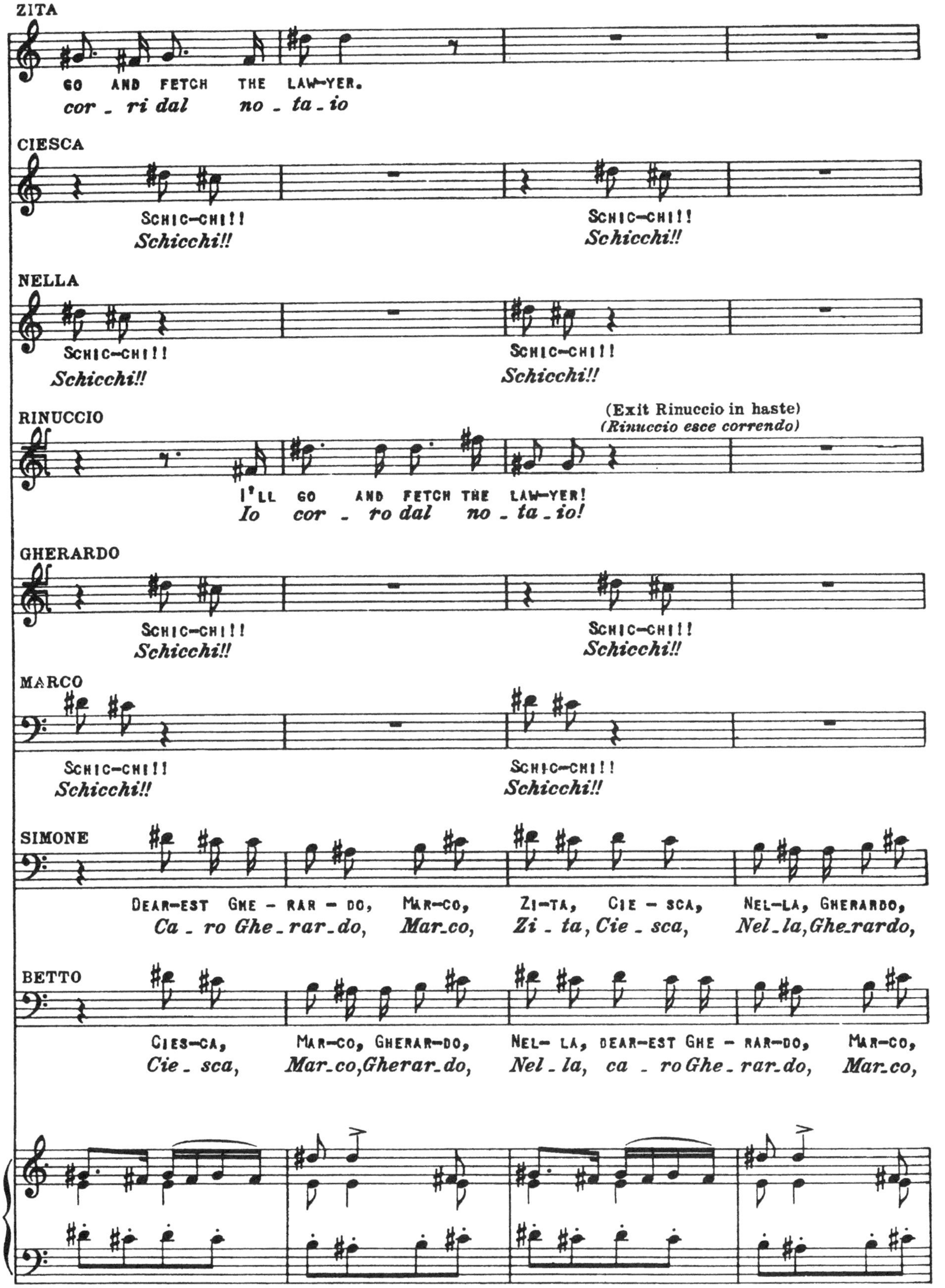

ZITA
Nel-la, Cies-ca, Schicchi! Schicchi!
Nel _ la, Ciesca, Schicchi!! Schicchi!!
Nella, Ciesca, Si-
Nel_la, Cie_sca, Si_
CIESCA
Zi-ta, Bet-to,
Zi _ ta, Betto
Schicchi! Schicchi!
Schicchi!! Schicchi!!
Ghe-rar-do, Mar - co,
Ghe_rar_do, Mar _ co,
NELLA
Zi - ta, Betto,
Zi _ ta, Betto,
Schicchi! Schicchi!
Schicchi!! Schicchi!!
Ghe-rar-do, Mar - co,
Ghe_rar_do, Mar _ co,
GIANNI SCHICCHI
(Their love is ve - ry touch - ing!)
(Oh qua _ le commo _ zio _ ne!)
GHERARDO
Bet-to, Zi-ta,
Bet _ to, Zi_ta,
Schicchi! Schicchi!
Schicchi!! Schicchi!!
MARCO
Zita, Si-mo-ne,
Zi_ta, Simone,
Schicchi! Schicchi!
Schicchi!! Schicchi!!
SIMONE
Zi-ta, Betto,
Zi_ta, Betto,
BETTO
Ciesca, Nella,
Ciesca, Nella,
Schicchi! Schicchi!
Schicchi!! Schicchi!!

ZITA
- MO - NE. O HAP-PY, HAP-PY MO - MENT, THE JOKE IS ON THE FRI - ARS!
-mo - ne. O giorno d'al-le - grezza! La bef - fa ai frati è bel - la!
CIESCA
ZI - TA. O HAP - PY, HAP-PY MO - MENT, THE JOKE IS ON THE FRI - ARS!
Zi - ta. O giorno d'al-le - grezza! La bef - fa ai frati è bel - la!
NELLA
ZI - TA. O HAP-PY, HAP-PY MO - MENT, THE JOKE IS ON THE FRI - ARS!
Zi - ta. O giorno d'al-le - grezza! La bef - fa ai frati è bel - la!
GIANNI SCHICCHI
(IT'S REAL - LY QUITE A
(Oh, qua - le com - mo -
GHERARDO
SCHIC - CHI!
Schic - chi!!
SIMONE
O HAP-PY, HAP - PY
O giorno d'al - le -
BETTO
O HAP-PY, HAP - PY
O giorno d'al - le -

(The relatives kiss and embrace each
(I parenti si abbracciano e si baciano
ZITA
p
SCHIC - CHI! SCHIC - CHI! SCHIC - CHI! HOW DE - LIGHT - FUL IS
Schic - chi!! Schic - chi!! Schic - chi!! Co - m'è bel - lo l'a -
CIESCA
p
SCHIC - CHI! SCHIC - CHI! SCHIC - CHI! HOW DE - LIGHT - FUL IS
Schic - chi!! Schic - chi!! Schic - chi!! Co - m'è bel - lo l'a -
NELLA
p
SCHIC - CHI! SCHIC - CHI! SCHIC - CHI! HOW DE - LIGHT - FUL IS
Schic - chi!! Schic - chi!! Schic - chi!! Co - m'è bel - lo l'a -
GIANNI SCHICCHI
PIC - TURE. THEIR LOVE IS VE - RY TOUCH - ING!)
- zio - ne! Oh, qua - le com - mo - zio - ne!)
GHERARDO
p
SCHIC - CHI! SCHIC - CHI! SCHIC - CHI! HOW DE - LIGHT - FUL IS
Schic - chi!! Schic - chi!! Schic - chi!! Co - m'è bel - lo l'a -
MARCO
p
SCHIC - CHI! SCHIC - CHI! SCHIC - CHI! HOW DE - LIGHT - FUL IS
Schic - chi!! Schic - chi!! Schic - chi!! Co - m'è bel - lo l'a -
SIMONE
p
MO - MENT, THE JOKE IS ON THE FRI - ARS! HOW DE - LIGHT - FUL IS
- grez - za! La bef - fa ai frati è bel - la! Co - m'è bel - lo l'a -
BETTO
p
MO - MENT, THE JOKE IS ON THE FRI - ARS! HOW DE - LIGHT - FUL IS
- grez - za! La bef - fa ai frati è bel - la! Co - m'è bel - lo l'a -
p

other with great effusion)
con grande effusione)

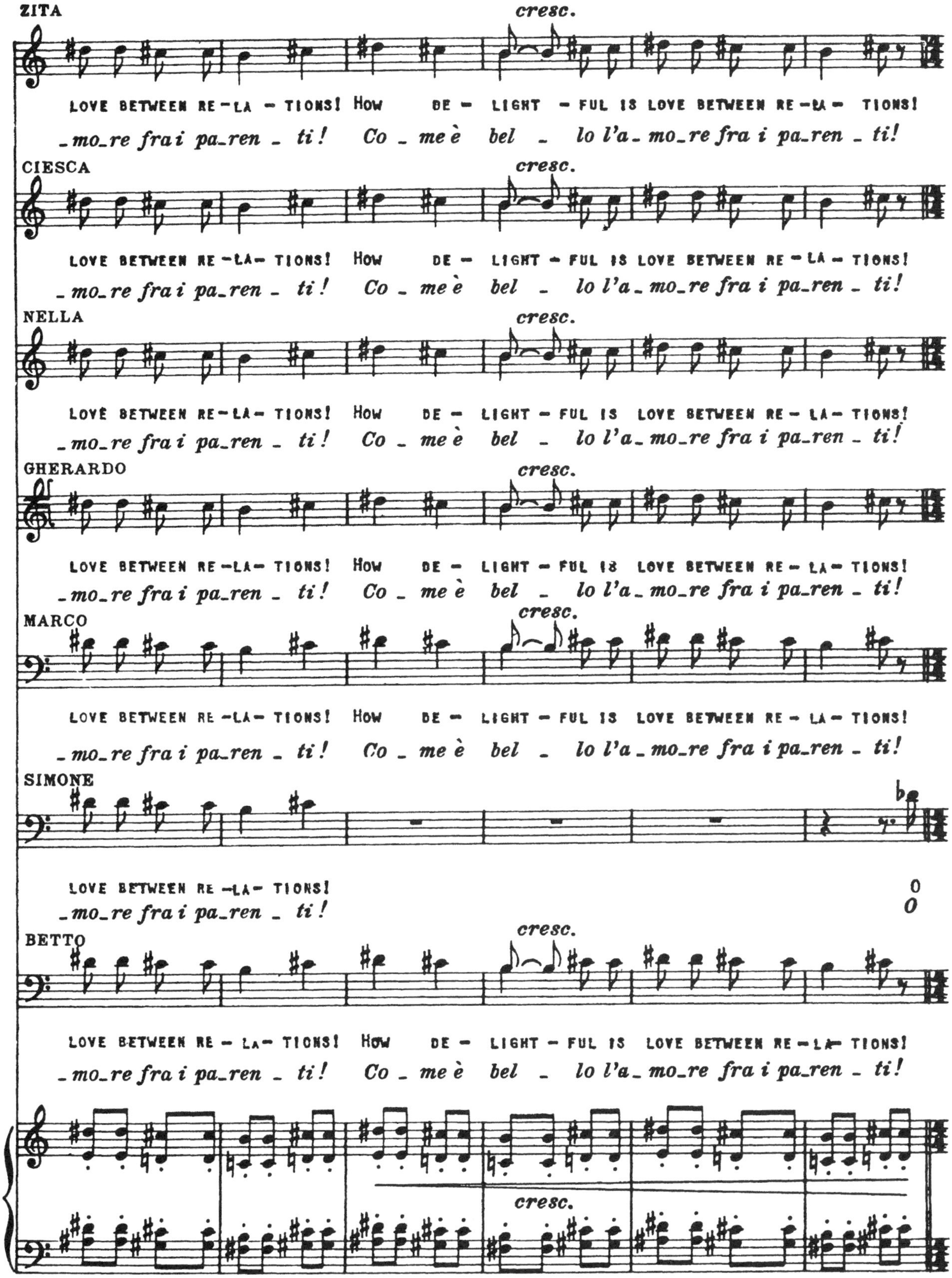

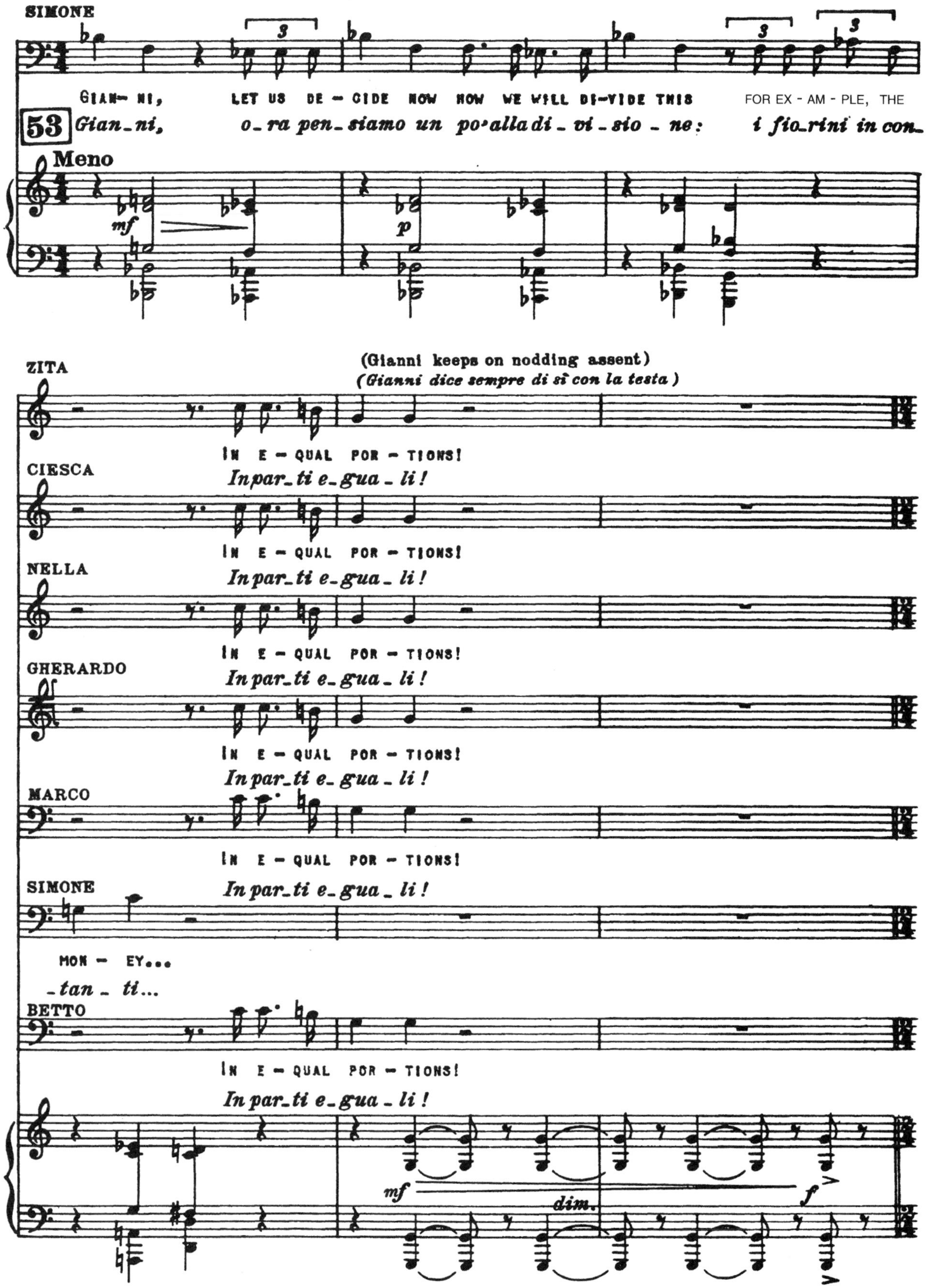
SIMONE
GIAN - NI, LET US DE - CIDE NOW HOW WE WILL DI - VIDE THIS FOR EX - AM - PLE, THE
53
Gian - ni, o - ra pen - siamo un po' alla di - vi - sio - ne: i fio - rini in con -
Meno
mf
p
(Gianni keeps on nodding assent)
(Gianni dice sempre di sì con la testa)
ZITA
IN E - QUAL POR - TIONS!
In par - ti e - gua - li!
CIESCA
IN E - QUAL POR - TIONS!
In par - ti e - gua - li!
NELLA
IN E - QUAL POR - TIONS!
In par - ti e - gua - li!
GHERARDO
IN E - QUAL POR - TIONS!
In par - ti e - gua - li!
MARCO
IN E - QUAL POR - TIONS!
In par - ti e - gua - li!
SIMONE
MON - EY...
- tan - ti...
BETTO
IN E - QUAL POR - TIONS!
In par - ti e - gua - li!
mf
dim.
f

SIMONE
54
JUST LEAVE ME THE HOUS - ES IN FU - CEC - CHIO.
A me i po - de - ri di Fu - cec - chio.
Allegro non troppo ♩ = 138
p
ZITA
FOR ME THE HOUS - ES IN FI - GLI - NE.
A me quel - li di Fi - gli - ne.
BETTO
FOR ME THE MEAD - OWS IN PRA - TO.
A me quel - li di Pra - to.
GHERARDO
FOR US THE LAND AT EM - PO - LI.
A noi le ter - re d'Em - po - li.
MARCO
For
A
p

MARCO
US THE HOUSES IN QUINTO - LE.
me quel_le di Quin_to_le.
SIMONE
WHAT - EV - ER IS IN FU - CEC - CHIO.
E quel - le di Fu - cec - chio.
BETTO
FOR ME DON'T FOR-GET PRA - TO.
A me quel_le di Pra - to.
ZITA
55
Andante sostenuto
dim.
pp
THERE IS STILL TO BE SET - TLED THE MULE,
Re - ste - reb_bero an - co_ra: la mu_la,
pp
ZITA
AND THIS MANSION AND THE SAW-MILLS AT SIGNA.
que_sta casa e i mu_li_ni di Signa.
MARCO
THEY'RE THE CREAM OF THE CROP...
Son le co_se migliori...
SIMONE
(simulating ignorance)
(falsamente ingenuo)
AH! I
Ah! ca_
lento
a piac.
pp

SIMONE
SEE IT, IT'S CLEAR NOW! AS THE OLD-EST DO-NATI AND AL-SO
-pi - sco, ca-pi - sco! perchè so-no il più vecchio e so-no
a tempo
col canto
p
SIMONE
FOR-MER-LY FU-CEC-CHIO'S MAY-OR YOU WANT THEM TO BE MINE! I THANK YOU
sta-to po-de-stà a Fu-cecchio, vo-le-te dar-li a me! Io vi rin-
poco rit.
ZITA
NO, NO, NO, NO! JUST A MO-MENT! SO YOU'RE THE
No, no, no, no! Un mo-men-to! Se tu se'
SIMONE
KIND-LY!
-gra-zio!
a tempo
p
ZITA
OLD-EST! DON'T BE AB-SURD! NO-BO-DY
vec-chio peg-gio per te, peg-gio per

ZITA
CARES!
te!
CIESCA
THINK OF IT! THINK OF IT! HE MUST BE MAD! THE DODDERING
Sen_ti_lo, sen_ti_lo, il po - de - stà! Vor_rebbe il
NELLA
THINK OF IT! THINK OF IT! HE MUST BE MAD!
Sen_ti_lo, sen_ti_lo, il po - de - stà!
GHERARDO
HE MUST BE MAD!
...il po - de - stà!
MARCO
HE MUST BE MAD! THE DODDERING
...il po - de - stà! Vor_rebbe il
BETTO
THE DODDERING
Vor_rebbe il
56
Allegro vivo ♩ = 160
mf
ZITA
THINK OF IT! THINK OF IT!
Sen_ti_lo, sen_ti_lo!
CIESCA
ID - IOT WANTS THE WHOLE ES - TATE!
me_glio del_l'e - re - di - tà!
NELLA
THINK OF IT! THINK OF IT!
Sen_ti_lo, sen_ti_lo!
(aside, laughing)
(a parte, ridendo)
GIANNI SCHICCHI
(HOW EN - DUR - ING IS
(Quan - to du - ra l'a.
GHERARDO
THINK OF IT! THINK OF IT!
Sen_ti_lo, sen_ti_lo!
MARCO
ID - IOT WANTS THE WHOLE ES - TATE! THE MAN-SION, THE MULE AND THE SAW-MILLS AT
me_glio del_l'e - re - di - tà! La ca_sa, la mu_la i muli_ni di
BETTO
ID - IOT WANTS THE WHOLE ES - TATE! THE MAN-SION, THE MULE AND THE SAW-MILLS AT
me_glio del_l'e - re - di - tà! La ca_sa, i mu_li_ni di Si_gna, la

ZITA
THE MAN-SION, THE MULE AND THE SAW-MILLS, THEY SHOULD BE
La mu-la, i mu-li - ni, la ca - sa toc - cano a
CIESCA
THE MAN-SION, THE MULE AND THE SAW-MILLS, THEY SHOULD BE
La ca - sa, la mu - la, i mu-li - ni toc - cano a
NELLA
THE MAN-SION, THE MULE AND THE SAW-MILLS, THEY SHOULD BE
La mu - la, la ca-sa, i mu-li - ni toc - cano a
GIANNI SCHICCHI
(laughing aloud)
(ridendo forte)
LOVE BE-TWEEN RE-LA - TIONS!) HA! HA!
-mo - re fra i pa-ren - ti!) Ah! ah!
GHERARDO
THE MAN-SION, THE MULE AND THE SAW-MILLS AT SI-GNA, THEY SHOULD BE
La mu - la, la ca-sa, i mu-li - ni di Si - gna toc - cano a
MARCO
SI-GNA, ALL SHOULD BE MINE! THE MAN-SION AT SI-GNA, THE MULE AND THE SAW-MILLS, THEY SHOULD BE
Si - gna toc - ca-no a me! Di Si - gna i mu-li - ni, la mu - la, la ca-sa toc - cano a
SIMONE
THE MAN-SION, THE MULE AND THE SAW-MILLS AT SI-GNA, THEY SHOULD BE
La mu - la, la ca-sa, i mu-li - ni di Si - gna toc - cano a
BETTO
SI-GNA, ALL SHOULD BE MINE!
mu-la toc - ca-no a me!

ZITA
MINE! THE MAN-SION AND SAW-MILLS, ALL SHOULD BE MINE! THE MULE AND THE
me! La ca-sa,i mu-li-ni toc-ca-no a me! La mu-la, la
CIESCA
MINE! THEY SHOULD BE MINE! THE MULE AND THE
me! La ca-sa a me! La mu-la,i mu-
NELLA
MINE! THE MULE AND THE MAN-SION, ALL SHOULD BE MINE! THE
me! La mu-la, la ca-sa toc-ca-no a me! La
GIANNI SCHICCHI
HA! HA! HA!
ah! ah! ah!
GHERARDO
MINE! THE MULE AND THE MAN-SION, ALL SHOULD BE MINE! AND THE SAW-MILLS AT
me! La mu-la, la ca-sa toc-ca-no a me! I mu-li-ni di
MARCO
MINE! YES, THE SAW-MILLS AT SI--GNA, ALL SHOULD BE MINE! THE MULE AND THE
me! I mu-li-ni di Si-gna toc-ca-no a me! La ca-sa, la
SIMONE
MINE! THE MAN-SION AND SAW-MILLS, ALL SHOULD BE MINE! THE MULE AND THE
me! La ca-sa,i mu-li-ni toc-ca-no a me! La mu-la, la
BETTO
THE MAN-SION AND SAW-MILLS, ALL SHOULD BE MINE! THE MULE AND THE
La ca-sa,i mu-li-ni toc-ca-no a me! La mu-la, la

ZITA
MAN - SION ALL SHOULD BE MINE! THE MULE AND THE MAN-SION, YES, ALL SHOULD BE
ca - sa toc - ca - no a me! La ca - sa, la mu - la, sì, toc - ca - no a
CIESCA
SAW - MILLS, ALL SHOULD BE MINE! THE MULE AND THE MAN-SION, YES, ALL SHOULD BE
- li - ni toc - ca - no a me! La mu - la, la ca - sa. sì, toc - ca - no a
NELLA
MAN - SION'S MINE! THE MULE AND THE SAW-MILLS, YES, ALL SHOULD BE
ca - sa a me! La mu - la, i mu - li - ni, sì, toc - ca - no a
GIANNI SCHICCHI
HA! HA! HA! HA!
ah! ah! ah! ah!
GHERARDO
SI - GNA, ALL SHOULD BE MINE! AND THE SAW-MILLS AT SI - GNA, YES, ALL SHOULD BE
Si - gna toc - ca - no a me! I mu - li - ni di Si - gna, sì, toc - ca - no a
MARCO
MAN - SION, ALL SHOULD BE MINE! THE MAN-SION AND SAW-MILLS, YES, ALL SHOULD BE
mu - la toc - ca - no a me! La ca - sa, i mu - li - ni, sì, toc - ca - no a
SIMONE
MAN - SION, ALL SHOULD BE MINE! THE MULE AND THE SAW-MILLS, YES, ALL SHOULD BE
ca - sa toc - ca - no a me! La mu - la, i mu - li - ni, sì, toc - ca - no a
BETTO
MAN - SION, ALL SHOULD BE MINE! THE MULE AND THE SAW-MILLS, YES, ALL SHOULD BE
ca - sa toc - ca - no a me! La mu - la, i mu - li - ni, sì, toc - ca - no a
stringendo

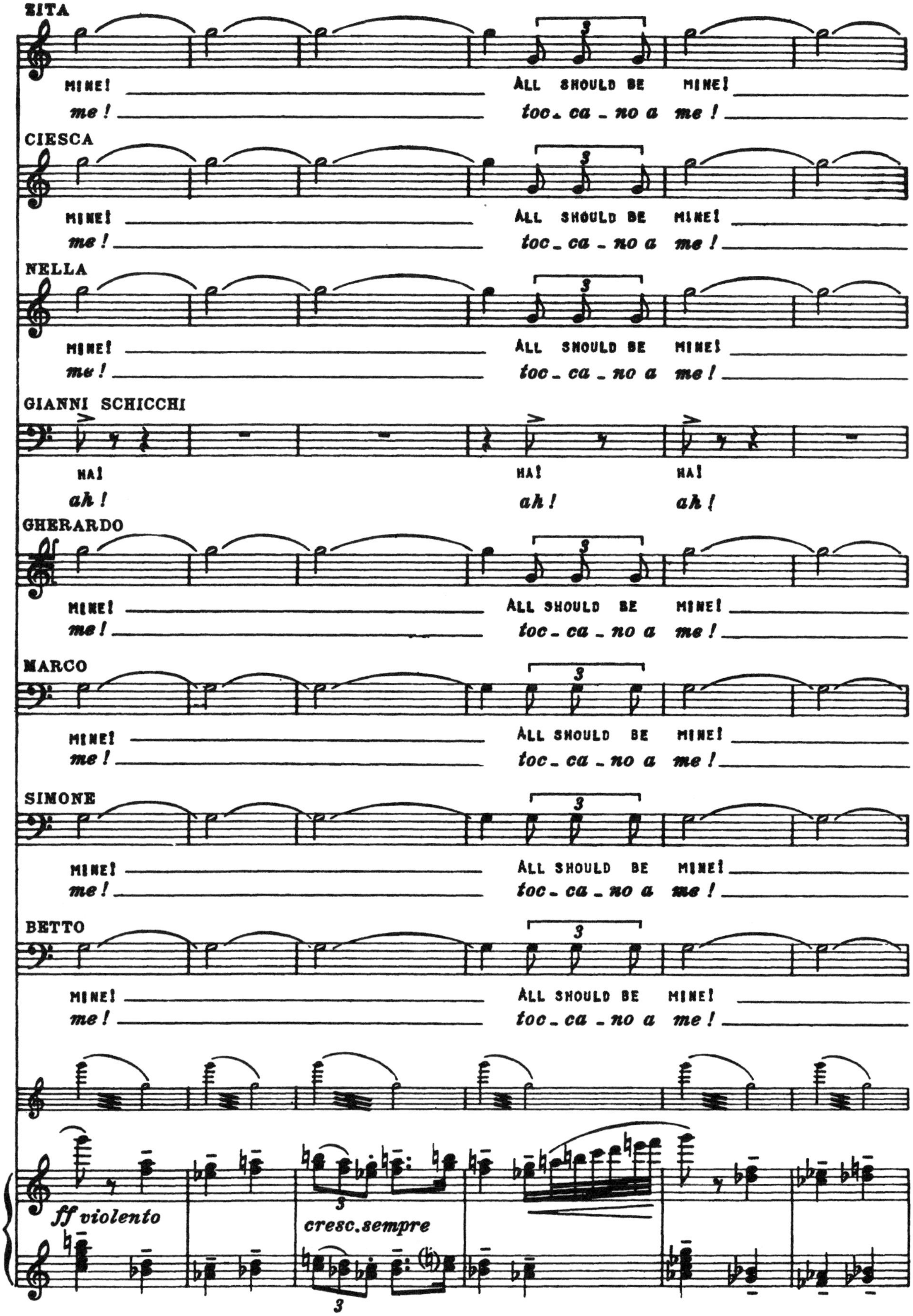
ZITA
MINE! ALL SHOULD BE MINE!
me! toc_ca_no a me!
CIESCA
MINE! ALL SHOULD BE MINE!
me! toc_ca_no a me!
NELLA
MINE! ALL SHOULD BE MINE!
me! toc_ca_no a me!
GIANNI SCHICCHI
HA! HA! HA!
ah! ah! ah!
GHERARDO
MINE! ALL SHOULD BE MINE!
me! toc_ca_no a me!
MARCO
MINE! ALL SHOULD BE MINE!
me! toc_ca_no a me!
SIMONE
MINE! ALL SHOULD BE MINE!
me! toc_ca_no a me!
BETTO
MINE! ALL SHOULD BE MINE!
me! toc_ca_no a me!
ff violento
cresc.sempre

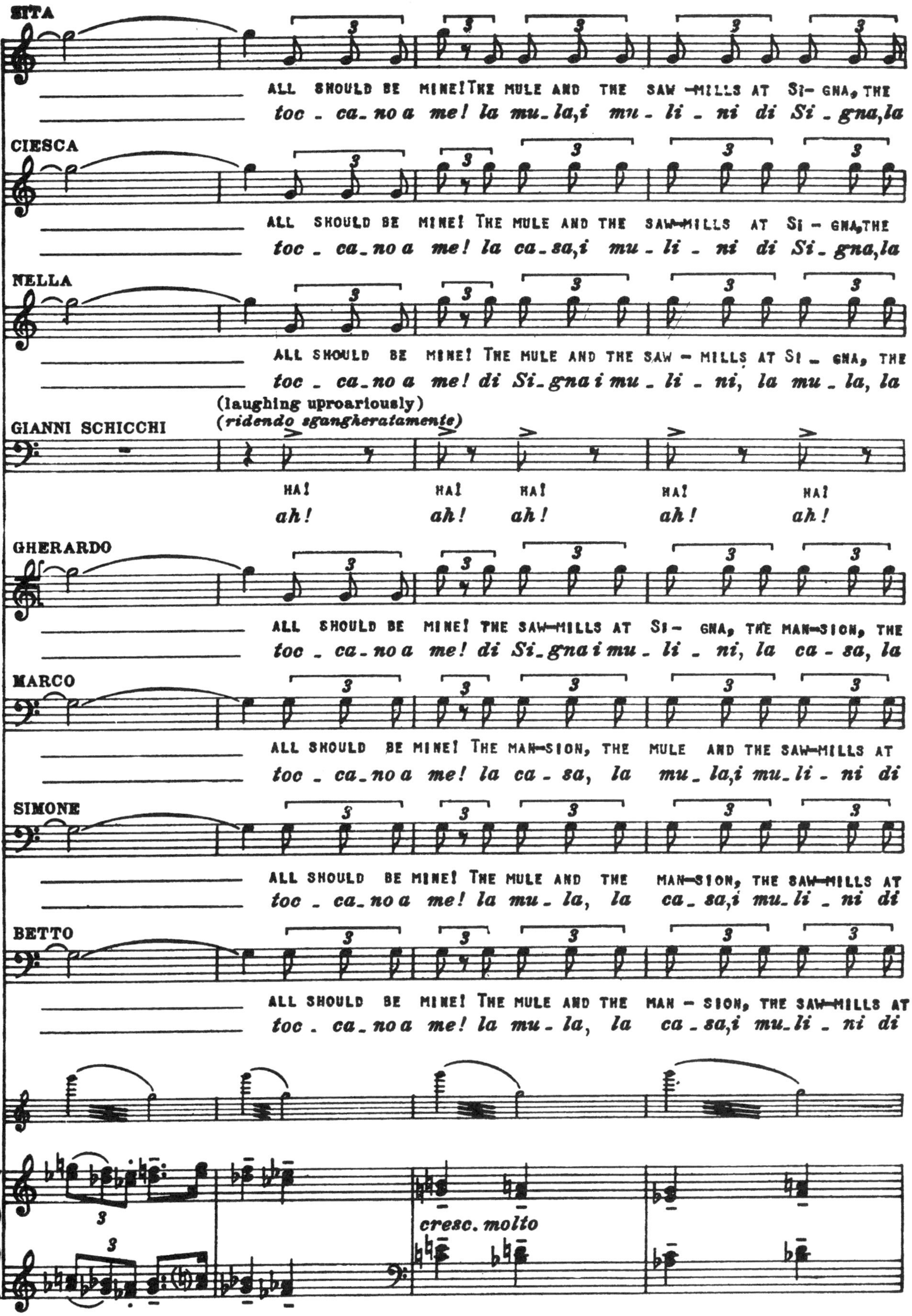
SITA
ALL SHOULD BE MINE! THE MULE AND THE SAW-MILLS AT SI- GNA, THE
toc - ca - no a me! la mu - la, i mu - li - ni di Si - gna, la
CIESCA
ALL SHOULD BE MINE! THE MULE AND THE SAW-MILLS AT SI - GNA, THE
toc - ca - no a me! la ca - sa, i mu - li - ni di Si - gna, la
NELLA
ALL SHOULD BE MINE! THE MULE AND THE SAW - MILLS AT SI - GNA, THE
toc - ca - no a me! di Si - gna i mu - li - ni, la mu - la, la
(laughing uproariously)
(ridendo sgangheratamente)
GIANNI SCHICCHI
HA! HA! HA! HA! HA!
ah! ah! ah! ah! ah!
GHERARDO
ALL SHOULD BE MINE! THE SAW-MILLS AT SI - GNA, THE MAN-SION, THE
toc - ca - no a me! di Si - gna i mu - li - ni, la ca - sa, la
MARCO
ALL SHOULD BE MINE! THE MAN-SION, THE MULE AND THE SAW-MILLS AT
toc - ca - no a me! la ca - sa, la mu - la, i mu - li - ni di
SIMONE
ALL SHOULD BE MINE! THE MULE AND THE MAN-SION, THE SAW-MILLS AT
toc - ca - no a me! la mu - la, la ca - sa, i mu - li - ni di
BETTO
ALL SHOULD BE MINE! THE MULE AND THE MAN - SION, THE SAW-MILLS AT
toc - ca - no a me! la mu - la, la ca - sa, i mu - li - ni di
cresc. molto

(The slow and mournful pealing of a bell announces that someone is dead. All stop shouting and exclaim)
(Si odono i rintocchi di una campana che suona a morto. Tutti i parenti ammutoliscono allibiti)
ZITA
MAN-SION, THE MULE AND THE SAW-MILLS AT SI - GNA, THE MAN-SION, THE MULE AND THE SAW-
ca - sa, la mu - la,i mu - li - ni di Si - gna,la ca - sa, la mu - la,i muli...
CIESCA
MULE AND THE MAN-SION, THE SAW - MILLS AT SI - GNA, THE MULE AND THE MAN-SION, THE SAW-
mu - la, la ca - sa,i mu - li - ni di Si - gna,la mu - la, la ca - sa,i muli...
NELLA
MAN-SION, THE SAW-MILLS AT SI - GNA,THE MULE AND THE MAN-SION, THE SAW-MILLS AT SI -
ca - sa, di Si - gna i mu - li - ni, la mu - la, la ca - sa, di Si - gna i muli...
GIANNI SCHICCHI
HA! HA! HA! HA! HA! HA! HA!
ah! ah! ah! ah! ah! ah! ah!
GHERARDO
MULE AND THE SAW-MILLS AT SI - GNA, THE MAN-SION, THE MULE AND THE SAW - MILLS AT SI -
mu - la, di Si - gna i mu - li - ni, la ca - sa, la mu - la, di Si - gna i muli...
MARCO
SI - GNA, THE MAN-SION, THE MULE AND THE SAW - MILLS AT SI - GNA, THE MAN-SION, THE MULE
Si - gna, la ca - sa, la mu - la,i mu - li - ni di Si - gna, la ca - sa, la mu...
SIMONE
SI - GNA, THE MULE AND THE MAN - SION, THE SAW-MILLS AT SI - GNA, THE MULE AND THE MAN-
Si - gna, la mu - la, la ca - sa,i mu - li - ni di Si - gna, la mu - la, la ca...
BETTO
SI - GNA,THE MULE AND THE MAN - SION, THE SAW-MILLS AT SI - GNA, THE MULE AND THE MAN-
Si - gna, la mu - la, la ca - sa,i mu - li - ni di Si - gna, la mu - la, la ca...
(Bell-off stage)
(Campana grave interna)
f
And.te lento 𝅗𝅥 = ♩ (Lo stesso mov.)
sf

ZITA (in a stifled voice)
(soffocato)
How did they know it?
L'han-no sa - pu - to!
pp
How did they hear of the death of Do - na - ti?
Han-no sa - pu - to che Buoso è cre-pa - to!
CIESCA (in a stifled voice)
(soffocato)
How did they know it?
L'han-no sa - pu - to!
pp
How did they hear of the death of Do - na - ti?
Han-no sa - pu - to che Buoso è cre-pa - to!
NELLA (in a stifled voice)
(soffocato)
How did they know it?
L'han-no sa - pu - to!
pp
How did they hear of the death of Do - na - ti?
Han-no sa - pu - to che Buoso è cre-pa - to!
GHERARDO (in a stifled voice)
(soffocato)
How did they know it?
L'han-no sa - pu - to!
pp
How did they hear of the death of Do - na - ti?
Han-no sa - pu - to che Buoso è cre-pa - to!
MARCO (in a stifled voice)
(soffocato)
How did they know it?
L'han-no sa - pu - to!
pp
How did they hear of the death of Do - na - ti?
Han-no sa - pu - to che Buoso è cre-pa - to!
SIMONE (in a stifled voice)
(soffocato)
How did they know it?
L'hanno sa - pu - to!
pp
How did they hear of the death of Do - na - ti?
Han-no sa - pu - to che Buoso è cre-pa - to!
BETTO (in a stifled voice)
(soffocato)
How did they know it?
L'hanno sa - pu - to!
pp
How did they hear of the death of Do - na - ti?
Han-no sa - pu - to che Buoso è cre-pa - to!
p
p
(Gherardo rushes out of the room and down-stairs)
(Gherardo si precipita giù dalla scala d'uscita)
GIANNI SCHICCHI
Now we are fin - ished!
Tut - to crol - la - to!
57

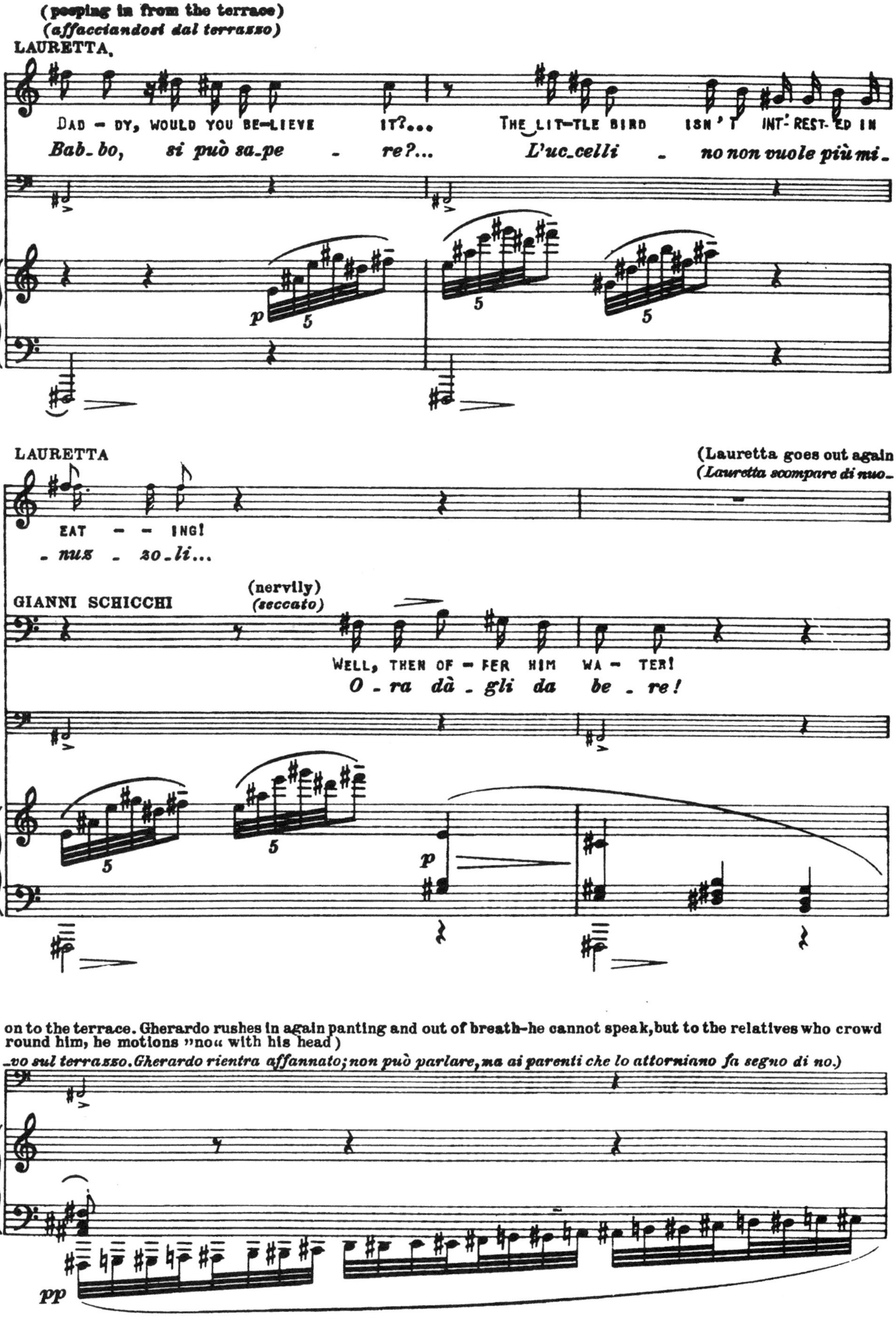
(peeping in from the terrace)
(affacciandosi dal terrazzo)
LAURETTA
DAD - DY, WOULD YOU BE-LIEVE IT?... THE LIT-TLE BIRD ISN'T INT-REST-ED IN
Bab-bo, si può sa-pe - re?... L'uc-celli - no non vuole più mi-
p
5
LAURETTA
EAT - - ING!
-nuz - zo-li...
(Lauretta goes out again
(Lauretta scompare di nuo-
GIANNI SCHICCHI
(nervily)
(seccato)
WELL, THEN OF - FER HIM WA - TER!
O-ra dà-gli da be - re!
on to the terrace. Gherardo rushes in again panting and out of breath-he cannot speak, but to the relatives who crowd round him, he motions "no" with his head)
-vo sul terrazzo. Gherardo rientra affannato; non può parlare, ma ai parenti che lo attorniano fa segno di no.)
pp

GHERARDO
(panting)
(affannato)
THE BELL IS JUST AN - NOUNC - ING THE FUN - 'RAL OF THE
E pre_so un ac - ci - den - te al mo - ro bat_tez_
58 Allegro ♪= 144
ZITA
(gaily)
(allegramente)
RE - QUI - E - SCAT IN PA - CE!
CIESCA
Re_qui_e - scat in pa - ce!
RE - QUI - E - SCAT IN PA - CE!
NELLA
Re_qui_e - scat in pa - ce!
RE - QUI - E - SCAT IN PA - CE!
GHERARDO
Re_qui_e - scat in pa - ce!
BUT-LER AT THE HOUSE OF THE BISH - OP!
_za_to del si_gnor ca_pi - ta - no!
MARCO
RE - QUI - E - SCAT IN PA - CE!
Re_qui_e - scat in pa - ce!
SIMONE
RE - QUI - E - SCAT IN PA - CE!
Re_qui_e - scat in pa - ce!
BETTO
RE - QUI - E - SCAT IN PA - CE!
Re_qui_e - scat in pa - ce!
sostenendo

(with an air of authority)
(con autorità)
SIMONE
AS FOR THE MAN-SION, THE MULE AND THE SAW-MILLS, I MOVE THAT THE DE-
Per la ca-sa, la mu-la, i mu-li-ni pro-pon-go di ri-
Moderato mosso
SIMONE
CI-SION BE LEFT TO THE FAIR-MIND-ED JUDG-MENT OF GIAN-NI
-met-ter-ci al-la giu-sti-zia, al-l'o-ne-stà di
cresc.
ZITA
WE WILL LEAVE IT TO
Ri-met-tia-mo-ci a
CIESCA
WE WILL LEAVE IT TO
Ri-met-tia-mo-ci a
NELLA
WE WILL LEAVE IT TO
Ri-met-tia-mo-ci a
GHERARDO
WE WILL LEAVE IT TO
Ri-met-tia-mo-ci a
MARCO
WE WILL LEAVE IT TO
Ri-met-tia-mo-ci a
SIMONE
SCHIC-CHI!
Schic-chi!
WE WILL LEAVE IT TO
Ri-met-tia-mo-ci a
BETTO
WE WILL LEAVE IT TO
Ri-met-tia-mo-ci a
59

(The Old Woman, Nella and Ciesca take from the wardrobe and the chest on the other side of the bed, Buoso's night-cap, night-gown and lace handkerchief, and hand them to Gianni Schicchi to dress in)

(Zita, Nella e la Ciesca prendono da una cassapanca la pezzolina, la cappellina e una camicia da notte di Buoso e mano a mano le portano a Gianni Schicchi e lo fanno vestire.)

ZITA
(getting close to Schicchi)
(avvicinandosi a Schicchi)
(in a whisper-aside)
pp (sottovoce)
HERE IS DO-NA-TI'S NIGHT-CAP! (IF YOU LEAVE ME THE MAN-SION AND THE MULE AND THE SAW-MILLS AT
Ec - co la cappel - li - na! (Se mi la-sci la mula, questa ca-sa, i mu-li - ni di
Andante sostenuto ♩ = 66
rit:
mf
dim.
ZITA
(Zita moves away, rubbing her hands)
(Zita si allontana fregandosi le mani)
SI - GNA, I'LL GIVE YOU THIRTY FLORINS!)
Si - gna, ti do tren-ta fio-ri - ni!)
GIANNI SCHICCHI
(DON'T WOR - RY!)
(Sta be - ne!)
pp
(Gianni Schicchi starts dressing)
(Gianni Schicchi si comincia a svestire)
(in a whisper-aside)
SIMONE
pp (sottovoce)
(IF I SHOULD GET THE MANSION, THE SAW-MILLS AND THE MULE, YOU WOULD GET A HUND-RED
(Se lasci a me la ca-sa, la mu-la ed i mu-li - ni, ti do cento fio-

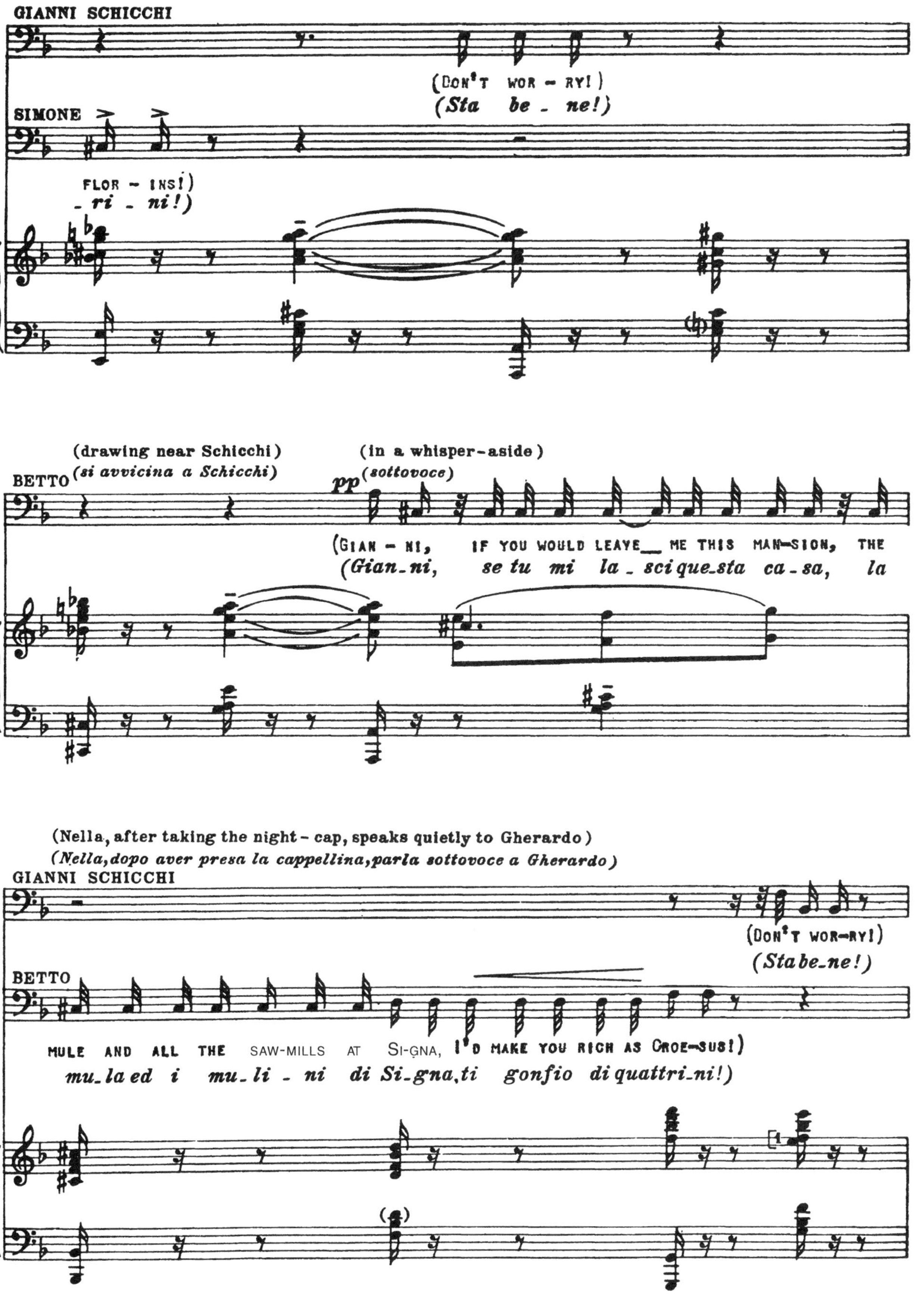
GIANNI SCHICCHI
(DON'T WOR - RY!)
(Sta be - ne!)
SIMONE
FLOR - INS!)
- ri - ni!)
(drawing near Schicchi)
(si avvicina a Schicchi)
(in a whisper-aside)
(sottovoce)
BETTO
pp
(GIAN - NI, IF YOU WOULD LEAVE ME THIS MAN-SION, THE
(Gian-ni, se tu mi la-sci que-sta ca-sa, la
(Nella, after taking the night - cap, speaks quietly to Gherardo)
(Nella, dopo aver presa la cappellina, parla sottovoce a Gherardo)
GIANNI SCHICCHI
(DON'T WOR-RY!)
(Sta be-ne!)
BETTO
MULE AND ALL THE SAW-MILLS AT SI-GNA, I'D MAKE YOU RICH AS CROE-SUS!)
mu-la ed i mu-li - ni di Si-gna, ti gonfio di quattri-ni!)

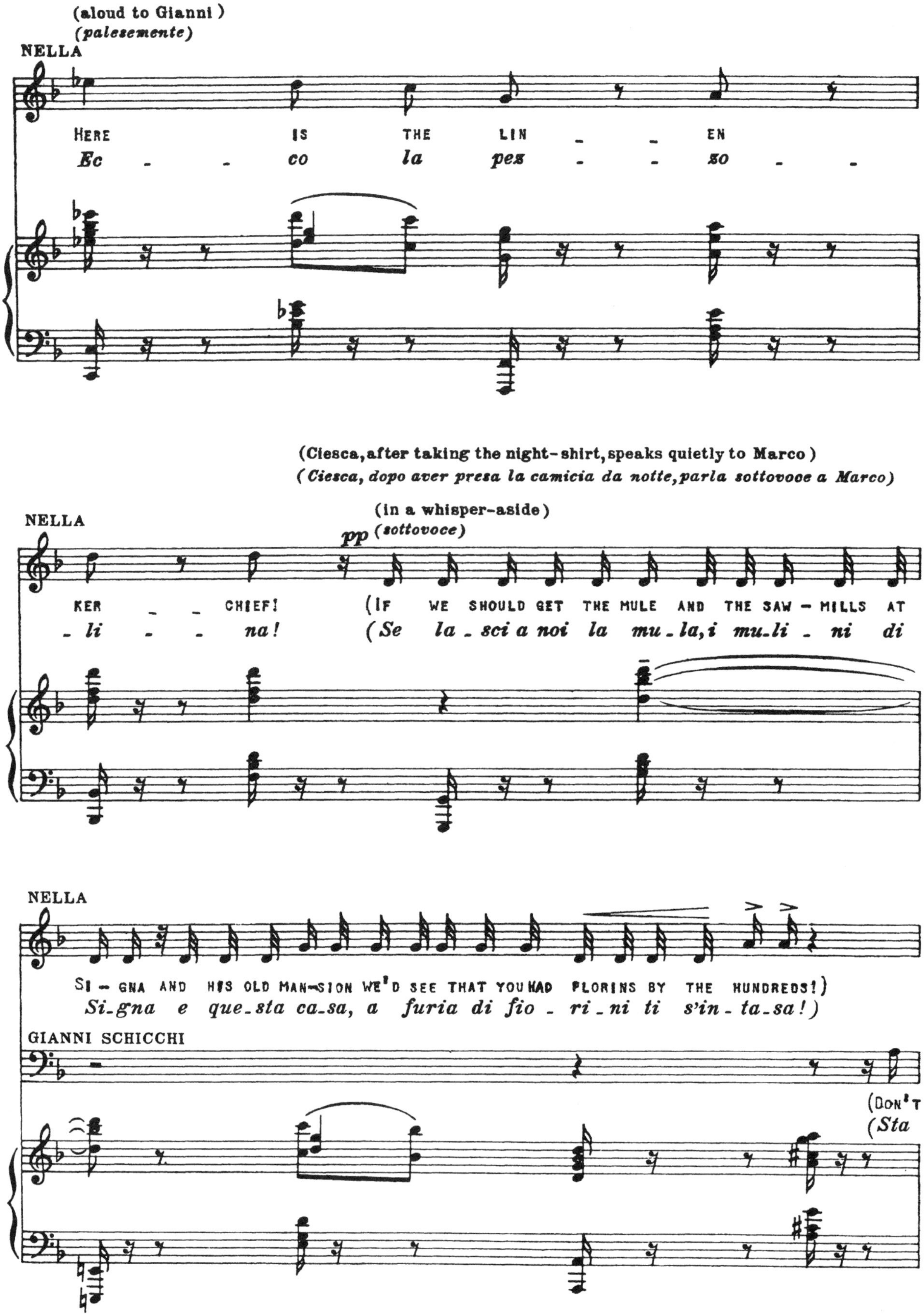
(aloud to Gianni)
(palesemente)
NELLA
HERE IS THE LIN - - EN
Ec - - co la pez - - zo - -
(Ciesca, after taking the night-shirt, speaks quietly to Marco)
(Ciesca, dopo aver presa la camicia da notte, parla sottovoce a Marco)
(in a whisper-aside)
(sottovoce)
pp
NELLA
KER - - CHIEF! (IF WE SHOULD GET THE MULE AND THE SAW-MILLS AT
- li - - na! (Se la-sci a noi la mu-la, i mu-li-ni di
NELLA
SI-GNA AND HIS OLD MAN-SION WE'D SEE THAT YOU HAD FLORINS BY THE HUNDREDS!)
Si-gna e que-sta ca-sa, a furia di fio-ri-ni ti s'in-ta-sa!)
GIANNI SCHICCHI
(DON'T
(Sta

(Nella moves away and joins Gherardo - both rub their hands)
(Nella si allontana, va da Gherardo e tutti e due si fregano le mani)
CIESCA
AND HERE WE HAVE THE NIGHT-GOWN!
Ed ec-co la ca-mi-cia!
GIANNI SCHICCHI
WOR-RY!)
be-ne!).
dim.
CIESCA
(in a whisper-aside)
(sottovoce)
(IF YOU LEAVE ME THE MULE AND THE SAW-MILLS AT SI-GNA AND THIS MAN-SION,
(Se ci la-sci la mu-la, i mu-li-ni di Si-gna e que-sta ca-sa,
pp
(All are satisfied and gleefully rub their hands. Meanwhile Gianni Schicchi puts on the night-shirt. Then, mirror in hand, he arranges the night-cap and chin band, his face changing expression all the time.)
(Tutti sono soddisfatti e si fregano le mani. Intanto Gianni Schicchi si infila la camicia, quindi con uno specchio in mano si accomoda la pezzolina e la cappellina, cambiando l'espressione del viso.)
CIESCA
YOU'D GET ONE THOUSAND FLORINS!)
per te mil-le fio-ri-ni!)
GIANNI SCHICCI
(DON'T WOR-RY!)
(Sta bene!)
61
rit.
dolce
p

(The three women gather round Gianni Schicchi and admire him comically; Simone is at the window
(Le tre donne attorniano Gianni Schicchi e lo ammirano, comicamente; Simone è alla finestra per ve.

to watch for the arrival of the lawyer. Gherardo removes everything from the table where the lawyer
dere se arriva il notaio. Gherardo sbarazza il tavolo dove dovrà sedere il notaio; Marco e Betto

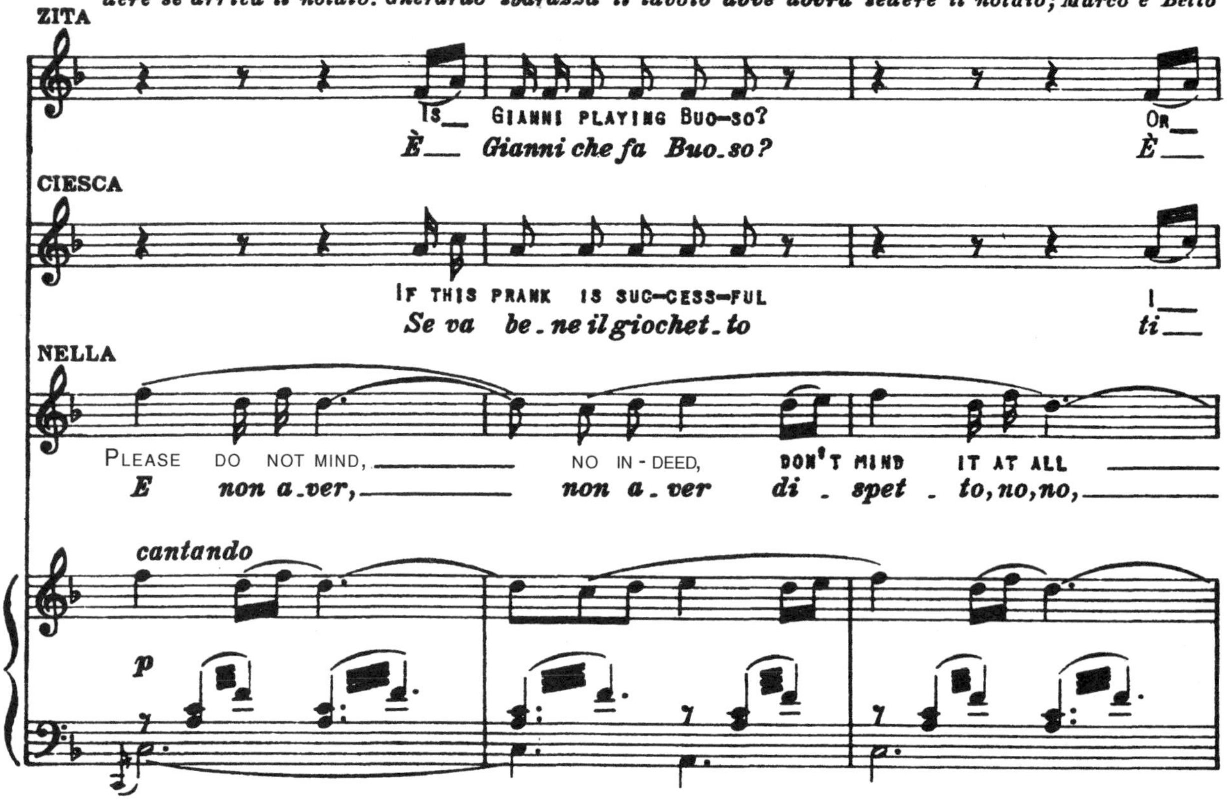

must sit, Marco and Betto draw the curtains round the bed and tidy the room)
tirano le sarge del letto e ravviano la stanza)
ZITA
BUO-SO PLAYING GIAN-NI? IS THERE A WILL THAT'S O - DIOUS?
Buo-so che fa Gian-ni? Il te-sta-men-to è o-dio-so?
CIESCA
PRO-MISE TO RE-WARD YOU, A-CORNS BE-COME GREAT OAK TREES, WITH
diamo un confor-ti-no! L'uo-vo di-vien pul-ci-no, il
NELLA
IF I SHOULD CHANGE YOUR NIGHT-SHIRT!
se cam-bio il ca-mi-ci-no!
rit.
m.s.
ZITA
GIV-EN A ROOM-Y NIGHT-SHIRT, A VIS-AGE, A
Un ca-mi-cion mae-sto-so, il vi-so, il
CIESCA
FLOW-ERS THE BUD BE-COMES A BLOS-SOM, THE FRI-
fior, il fior di-ven-ta frutto, i fra-
NELLA
BIRDS OFTEN CHANGE THEIR PLUM-AGE, CHA-ME-LEONS CHANGE THEIR
Si spiuma il ca-na-ri-no, la vol-pe cam-bia

ZITA
VIS - AGE TIRED AND SLEEP - Y, A NOSE OF GREAT PRO-
vi - so dor - mi - glio - - so, il na - so po - de-
CIESCA
ARS DRINK AND EAT, BUT THE FRI - - ARS WILL SOON GO
ti man - gian tut - to, ma il fra - - te im - po - ve-
NELLA
COLORS, THE BREEZ - ES CHANGE DI - REC - TION; CA-
pe - lo, il ra - gno ragna - te - la, il
rit.
dim.
ZITA
pp
POR - TION, AL - SO A VOICE THAT'S WHIN - Y AH!
- ro - so, l'ac - cen - to la - men - to - so, ah!
CIESCA
pp
HUNG - RY, CIES - CA WILL HAVE THEIR MON - EY, AH!
- ri - sce, la Ce - sca s'ar - ric - chi - sce, ah!
NELLA
pp
NA - RIES LOSE THEIR FEATH - - ERS, E - VEN THE WORM IS TURN - ING....
ca - ne cam - bia cuc - - cia, la serpe cam - bia buc - cia,
a tempo
rall:...........
ppp
dim.
m.s.

ZITA
p
QHANGES CLOTHING,
CHANGES
cambia pan_ni,
muso e
CIESCA
p
CHANGES FAC-ES,
Cambia vi _ so,
NELLA
p
AND OUR GIANNI
THAT OUR "WILL" MIGHT PRE-VAIL!
e il Buon Gianni
per poter_ci ser_vir!
62
molto sostenuto
pp
ZITA
NOS-ES
LEGAL
PAPERS AND OUR "WILL" SHALL PRE-
na_so,
te_sta _ men_to, per po_ter_ci ser_
CIESCA
SO OUR "WILL" MIGHT PRE-VAIL!
AND OUR "WILL" SHALL PRE-
per po_ter_ci ser_vir!
per po_ter_ci ser_
NELLA
CHANGES VOICES,
AND OUR "WILL" SHALL PRE-
Cambia accento,
per po_ter_ci ser_
rit:..................

ZITA
VAIL! BRA__ VO, WE WILL! AN-Y-THING YOU
-vir! Bra-vo co-sì! Pro-prio co-
CIESCA
VAIL! BRA__ VO, WE WILL! AN-Y-THING YOU
-vir! Bra-vo co-sì! Pro-prio co-
NELLA
VAIL! BRA__ VO, WE WILL! AN-Y-THING YOU
-vir! Bra-vo co-sì! Pro-prio co-
GIANNI SCHICCHI
LEAVE EV-ERY-THING TO ME! YOU'LL GET WHAT YOU DE-SERVE!
Vi ser-vi-rò a do-ver! Conten-te vi fa-rò!
ZITA
SAY! O GIAN-NI, GIAN-NI OUR__ ON-LY
-sì! O Gian-ni, Gian-ni, no-stro sal-va-
CIESCA
SAY! O GIAN-NI, GIAN-NI OUR__ ON-LY
-sì! O Gian-ni, Gian-ni, no-stro sal-va-
NELLA
SAY! O GIAN-NI, GIAN-NI OUR__ ON-LY
-sì! O Gian-ni, Gian-ni, no-stro sal va-
poco rit:...........
cresc.
dim.

ZITA
HOPE!
-tor!
p
O SCHIC-CHI,
O Schic-chi,
CIESCA
O GIAN-NI SCHICCHI, OUR NO-BLE SA-VIOR!
O Gian-ni Schicchi, no-stro sal-va-to-re!
NELLA
HOPE!
-tor!
O GIAN-NI SCHICCHI, OUR NO-BLE SA-VIOR!
O Gian-ni Schicchi, no-stro sal-va-to-re!
O
O
poco tratt. a tempo
mf
p
ZITA
O GIANNI SCHICCHI, OUR NO-BLE SA-VIOR!
o Gianni Schicchi, no-stro sal-va-to-re!
IT'S
A
CIESCA
SCHICCHI,
Schicchi,
FANTASTIC!
Per-fet-to!
IT'S
A
NELLA
SCHICCHI,
Schicchi,
HE'S PER-FEC-TION!
È pre-ci-so!
IT'S
A
GHERARDO
(the men also crowd round Schicchi)
(anche gli uomini attorniano Schicchi)
(they push Gianni towards the bed, but he stops
(spingono Gianni verso il letto, egli li ferma
HE'S PER-FEC-TION!
È pre-ci-so!
MARCO
FANTASTIC!
Per-fet-to!
SIMONE
FANTASTIC!
Per-fet-to!
BETTO
FANTASTIC!
Per-fet-to!
poco rit. tornando.......... a tempo
dim. e....
p

ZITA
BED - TIME! IT'S BED-TIME!
let - to! A let - to!
CIESCA
BED - TIME! IT'S BED-TIME!
let - to! A let - to!
NELLA
BED - TIME! IT'S BED- TIME!
let - to! A let - to!
GIANNI SCHICCHI
them with a solemn gesture)
con un gesto solenne)
FIRST, JUST A WORD OF
Prima un av - ver - ti -
GHERARDO
IT'S BED-TIME!
A let - to!
MARCO
IT'S BED-TIME! IT'S BED-TIME!
A let - to! A let - to!
SIMONE
IT'S BED-TIME! IT'S BED-TIME!
A let - to! A let - to!
BETTO
IT'S BED-TIME! IT'S BED-TIME!
A let - to! A let - to!
rall:
Poco meno
GIANNI SCHICCHI
WARN-ING! WHAT WE'RE DO - ING'S IL- LE-GAL! THIS WAS THE PROC-LA - MA-TION! "IL-
-men - to! O si - gno - ri, giu-di-zio! Voi lo sa-pe-te il bando?! "Per
corta
corta

GIANNI SCHICCHI
LE - GAL SUB - STI - TU - TION OF NAMES ON FORM - AL PA - PERS
chi so_sti_tu_i - sce se stes - so in luo_go d'al_tri
63
Meno
pp
GIANNI SCHICCHI
IS TAN-TA-MOUNT TO FOR - GERY, THE PEN - AL - TY FOR WHICH IS AM - PU -
in te_sta_menti e la - sci_ti, per lui e per i com_pli_ci c'è il
GIANNI SCHICCHI
TA - TION OF THE FING - ERS, AND EX - ILE FOR - EV - ER"
ta - glio del_la ma - no e poi l'e_si - lio!"
misterioso
p
GIANNI SCHICCHI
rall:
rit.
3
YOU MUST NE - VER FOR - GET THIS, OR WE COULD BE DIS - COVERED!! LET US CONTEMPLATE
Ri_cor - da_te - lo be - ne! Se fos_si_mo scoper - ti. la ve - de - te Fi_
col canto

(pointing to Arnolfo's tower which is plainly visible through the open window)
(accenna la torre di Arnolfo che appare al di là del terrazzo)
GIANNI SCHICCHI
FLO-RENCE!
-ren-ze?
FAREWELL, DEAR
Ad-dio, Fi-
64
molto rit:
rit.
pp as in the distance
come da lontano
GIANNI SCHICCHI
FLO - RENCE, FARE - WELL, EN-CHANTING CIT - Y! I MUST SA -
-ren - ze, ad - dio, cie-lo di - vi - no, io ti sa -
Andantino giusto ♩= 58
(raising the handless arm)
(alzando il braccio a monco)
GIANNI SCHICCHI
LUTE YOU WITH AM-PU-TAT-ED FING - ERS! THEN IN - TO
-lu - to con que-sto mon-che - ri - no, e vo ran -
cedendo a tempo
GIANNI SCHICCHI
EX - ILE, NE-VER-MORE TO SEE YOU!
-da - gio come un Ghi - bel - li - no!
un po' affrett. a tempo
dim.
65

(Looking through the window nervously)
(Guardando verso la finestra, allibiti)
ZITA
pp
FAREWELL, DEAR FLO - RENCE, FARE-WELL EN-CHANT-ING CIT - Y!
Ad_dio, Fi - ren - ze, ad - dio, cie - lo di - vi - no,
CIESCA
pp
FAREWELL, DEAR FLO - RENCE, FARE-WELL EN-CHANT-ING CIT - Y!
Ad_dio, Fi - ren - ze, ad - dio, cie - lo di - vi - no,
NELLA
pp
FAREWELL, DEAR FLO - RENCE, FARE-WELL EN-CHANT-ING CIT - Y!
Ad_dio, Fi - ren - ze, ad - dio, cie - lo di - vi - no,
GHERARDO
pp
FAREWELL, DEAR FLO - RENCE, FARE-WELL EN-CHANT-ING CIT - Y!
Ad_dio, Fi - ren - ze, ad - dio, cie - lo di - vi - no,
MARCO
pp
FAREWELL, DEAR FLO - RENCE, FARE-WELL EN-CHANT-ING CIT - Y!
Ad_dio, Fi - ren - ze, ad - dio, cie - lo di - vi - no,
SIMONE
pp
FAREWELL, DEAR FLO - RENCE, FARE-WELL EN-CHANT-ING CIT - Y!
Ad_dio, Fi - ren - ze, ad - dio, cie - lo di - vi - no,
BETTO
pp
FAREWELL, DEAR FLO - RENCE, FARE-WELL EN-CHANT-ING CIT - Y!
Ad_dio, Fi - ren - ze, ad - dio, cie - lo di - vi - no,
poco rit:....... a tempo
pp
p

ZITA
— I MUST SA - LUTE — YOU WITH AM - PU - TAT - ED FING - ERS! —
— io ti sa - lu - to con que-sto mon-che - ri - no, —
CIESCA
— I MUST SA - LUTE — YOU WITH AM - PU - TAT - ED FING - ERS! —
— io ti sa - lu - to con que-sto mon-che - ri - no, —
NELLA
— I MUST SA - LUTE — YOU WITH AM - PU - TAT - ED FING - ERS! —
— io ti sa - lu - to con que-sto mon-che - ri - no, —
GHERARDO
— I MUST SA - LUTE — YOU WITH AM - PU - TAT - ED FING - ERS! —
— io ti sa - lu - to con que-sto mon-che - ri - no, —
MARCO
— I MUST SA - LUTE — YOU WITH AM - PU - TAT - ED FING - ERS! —
— io ti sa - lu - to con que-sto mon-che - ri - no, —
SIMONE
— I MUST SA - LUTE — YOU WITH AM - PU - TAT - ED FING - ERS! —
— io ti sa - 'lu - to con que-sto mon-che - ri - no, —
BETTO
— I MUST SA - LUTE — YOU WITH AM - PU - TAT - ED FING - ERS! —
— io ti sa - lu to con que-sto mon-che - ri - no, —
rit:............ a tempo
pp

ZITA
cedendo
p
— THEN IN- TO — EX — ILE — NE - VER-MORE TO SEE YOU!
— e vo ran - da - gio — come un Ghi - bel - li - no!
GIESCA
cedendo
p
— THEN IN- TO — EX — ILE — NE - VER-MORE TO SEE YOU!
— e vo ran - da - gio — come un Ghi - bel - li - no!
NELLA
cedendo
p
— THEN IN- TO — EX — ILE — NE - VER-MORE TO SEE YOU!
— e vo ran - da - gio — come un Ghi - bel - li - no!
GHERARDO
cedendo
p
— THEN IN- TO — EX — ILE — NE - VER-MORE TO SEE YOU!
— e vo ran - da - gio — come un Ghi - bel - li - no!
MARCO
cedendo
p
— THEN IN- TO — EX — ILE — NE - VER-MORE TO SEE YOU!
— e vo ran - da - gio — come un Ghi - bel - li - no!
SIMONE
cedendo
p
— THEN IN- TO — EX — ILE — NE - VER-MORE TO SEE YOU!
— e vo ran - da - gio — come un Ghi - bel - li - no!
BETTO
cedendo
p
— THEN IN- TO — EX — ILE — NE - VER-MORE TO SEE YOU!
— e vo ran - da - gio — come un Ghi - bel - li - no!
(A knock on the door)
(Si bussa alla porta)
un po' affrett.
a tempo
p

66 Allegro
(Gianni jumps into the bed, the relatives close the shutters so as to darken the room and place
(Gianni schizza a letto; i parenti in gran fretta lo accomodano, poi rendono la stansa semi-
leggero
a candle on the table at which the lawyer is to sit to write out the will. They throw all sorts of things in
buia tirando i tendaggi, mettono una candela accesa sul tavolo dove il notaio deve scrivere e finalmente.....
a heap on the bed and finally ....open the door)
....aprono)
affrett.
RINUCCIO (entering)
(entrando)
HERE IS THE LAW - YER!
Ec-coil no - ta - ro!
67
Andante mosso ♩ = 60
THE LAWYER
IL NOTAIO
(entering)
(entrando)
MASTER BUO - SO, GOOD MORN - ING!
Messer Buo - so, buon gior - no!
PINELLINO
(entering)
(entrando)
MASTER BUO - SO, GOOD MORN - ING!
Messer Buo - so, buon gior - no!
GUCCIO
(entering)
(entrando)
MASTER BUO - SO, GOOD MORN - ING!
Messer Buo - so, buon gior - no!

GIANNI SCHICCHI
(imitating the voice)
(contraffacendo la voce)
OH! ARE YOU HERE? THANK YOU, MASTER AMAN - TIO!
Oh! sie_te qui? Gra_zie, messere Aman_tio!
rall:
And.te sostenuto ♩ = 58
p
GIANNI SCHICCHI
AND PI - NEL-LI - NO, OUR MORTIC - IAN, THANK YOU! THANK YOU,
O Pi_nel_li_no cal_zo_la_io, gra_zie! Gra_zie,
GIANNI SCHICCHI
GUC - CIO, THE TAIL - OR! YOU'RE TOO GEN'ROUS; IT IS
Guc_cio tin_to_re, troppo buo_ni, trop_po
p
GIANNI SCHICCHI
KIND OF YOU TO WIT-NESS THE SIGNING OF THE PA - PERS.
buo_ni di ve_nir_mi a ser_vir da te_sti_mo_ni!
PINELLINO
(much moved)
(commosso)
POOR MAS-TER
Po_ve_ro
poco rit.

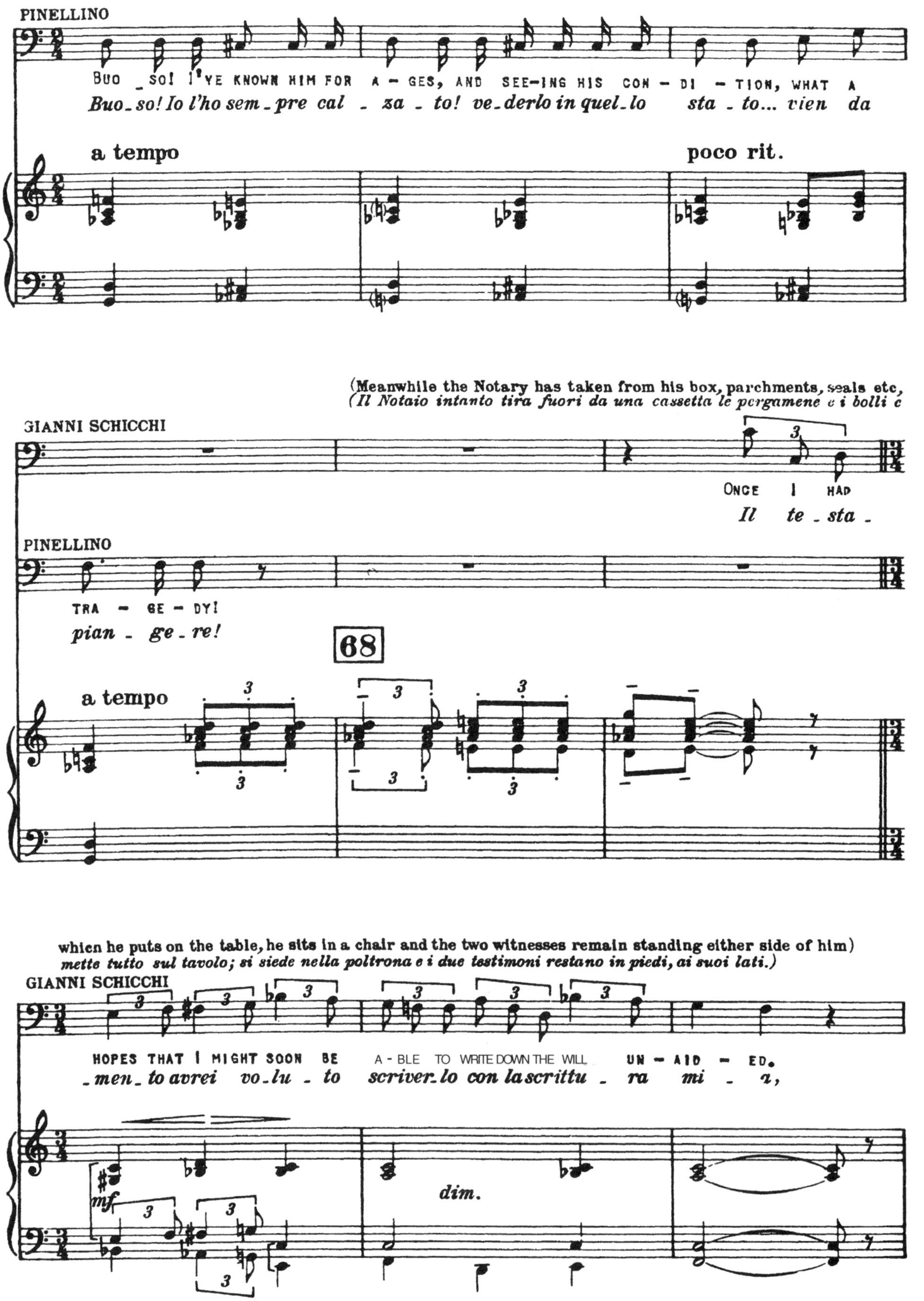
PINELLINO
BUO - SO! I'VE KNOWN HIM FOR A - GES, AND SEE-ING HIS CON - DI - TION, WHAT A
Buo - so! Io l'ho sem - pre cal - za - to! ve - derlo in quel - lo sta - to... vien da
a tempo
poco rit.
(Meanwhile the Notary has taken from his box, parchments, seals etc,
(Il Notaio intanto tira fuori da una cassetta le pergamene e i bolli e
GIANNI SCHICCHI
ONCE I HAD
Il te - sta -
PINELLINO
TRA - GE - DY!
pian - ge - re!
68
a tempo
which he puts on the table, he sits in a chair and the two witnesses remain standing either side of him)
mette tutto sul tavolo; si siede nella poltrona e i due testimoni restano in piedi, ai suoi lati.)
GIANNI SCHICCHI
HOPES THAT I MIGHT SOON BE A - BLE TO WRITE DOWN THE WILL UN - AID - ED.
- men - to avrei vo - lu - to scriver - lo con la scrittu - ra mi - a,
mf
dim.

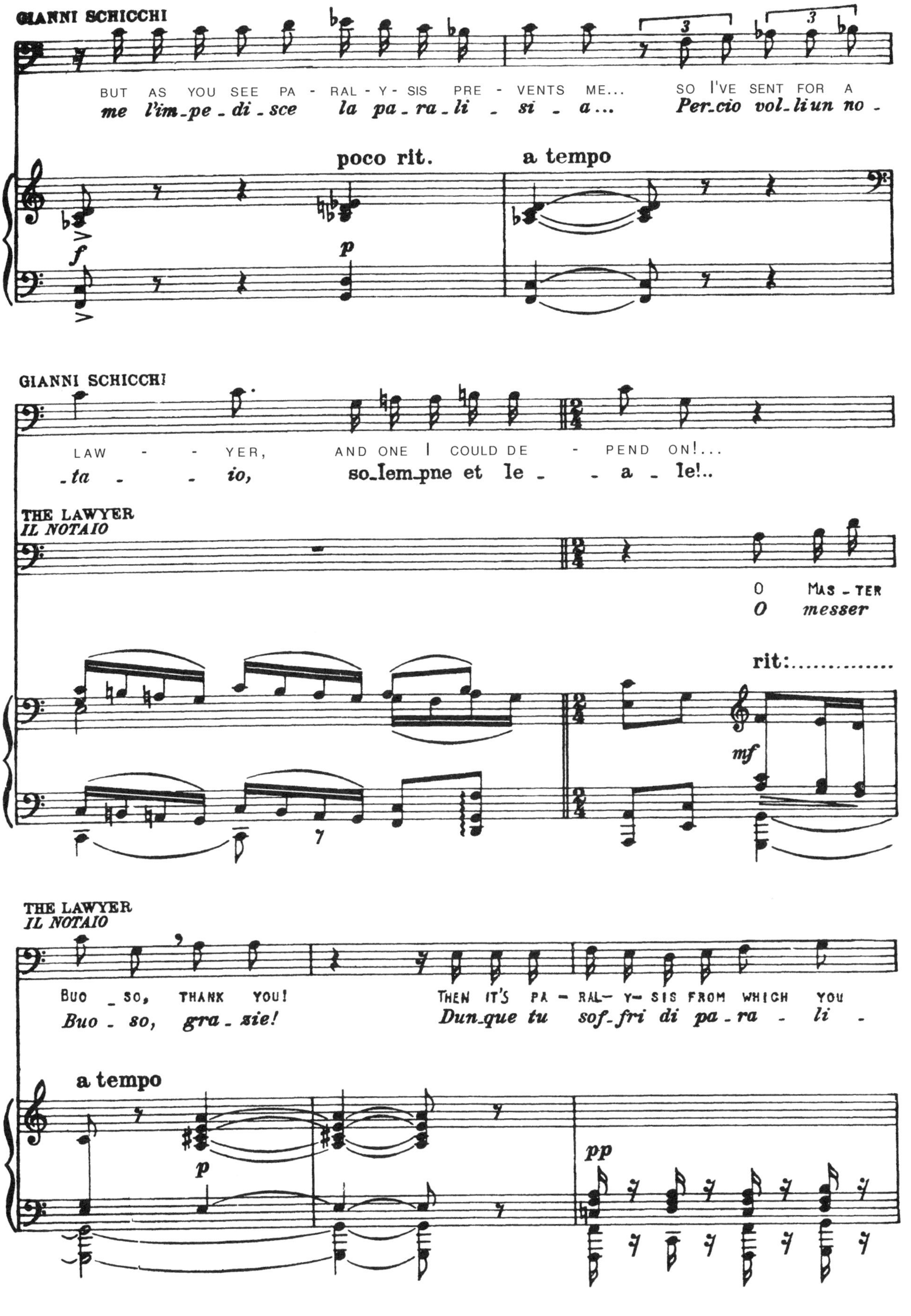
GIANNI SCHICCHI
BUT AS YOU SEE PA - RAL - Y - SIS PRE - VENTS ME... SO I'VE SENT FOR A
me l'im_pe_di_sce la pa_ra_li - si - a... Per_cio vol_li un no -
poco rit.
a tempo
f
p
GIANNI SCHICCHI
LAW - - YER, AND ONE I COULD DE - PEND ON!...
_ta - - io, so_lem_pne et le - - a - le!..
THE LAWYER
IL NOTAIO
O MAS - TER
O messer
rit:..............
mf
THE LAWYER
IL NOTAIO
BUO - SO, THANK YOU! THEN IT'S PA - RAL - Y - SIS FROM WHICH YOU
Buo - so, gra - zie! Dun_que tu sof_fri di pa_ra - li -
a tempo
p
pp

THE LAWYER
IL NOTAIO
(Gianni raises his trembling hands from under the covers. A movement of general pity)
(Gianni tenta allungare in alto le mani agitandole tremolanti. I parenti lo compassionano)
SUF - FER?
-si - a?
69
mf
p
ZITA
POOR COUSIN BUO - SO!
Po-ve-ro Buo - so!
CIESCA
POOR UNCLE BUO - SO!
Po-ve-ro Buo - so!
NELLA
POOR UNCLE BUO - SO!
Po-ve-ro Buo - so!
SIMONE
POOR COUSIN BUO - SO!
Po-ve-ro Buo - so!
rall.
THE LAWYER
IL NOTAIO
rall:
IS - N'T IT DREAD - FUL! NOW THEN! I CALL THE
Oh! po - ve - ret - to! Ba - sta! I te - sti

THE LAWYER
IL NOTAIO
WIT - NESSES,
vi - de_ro,
te_stes vi_de - runt!
te_stes vi_de - runt!
WE'RE
Pos -
70
All.° moderato ♩= 100
p
pp
GIANNI SCHICCHI
I
Che
THE LAWYER
IL NOTAIO
READY TO BEGIN NOW....
_siamo in_co_mincia - re...
BUT...
Ma...
YOUR RE-LA - TIONS?...
i paren - ti?...
GIANNI SCHICCHI
WANT THEM TO BE PRE - SENT!
re_sti_no presen - ti!
THE LAWYER
IL NOTAIO
LET US PRO- CEED THEN!!
Dunque in - co - min - cio:
rall:
71
a tempo, ma un po' sost.to
stentato
pp

(Read quickly-regardless of clear diction)
(Legge rapidamente, trascurando la chiara disione)
THE LAWYER IL NOTAIO
In Dei nomini, anno Dei nostri Jesu Christi ab eius salutifera incarnatione millesimo
THE LAWYER
IL NOTAIO
(pronounce very
(pronunciare ben
ducentesimo nonagesimo nono, die prima septembris, indictione undecima, ego notaro
distinctly the words underlined)
chiare le parole sottolineate)
THE LAWYER IL NOTAIO
Amantio di Nicolao, civis Florentiae, per voluntatem Buosi Donati scribo hoc testamen_
poco rit:
I HERE-BY RE-VOKE AND NULLIFY ANY PRE - VIOUS
(extending his hand)
GIANNI SCHICCHI (mettendo fuori la mano)
THE LAWYER
IL NOTAIO
Annullans, re_vocans, et irritans omne a_liud testa_
_tum.......
a tempo
p
rit:........ tornando...

ZITA
p
HOW VER - Y THOUGHT - FUL!
Che pre - vi - den - za!
CIESCA
p
HOW VER - Y THOUGHT - FUL!
Che pre - vi - den - za!
NELLA
p
HOW VER - Y THOUGHT - FUL!
Che pre - vi - den - za!
WILL__
GIANNI SCHICCHI
- mentum!
MARCO
p
HOW VER - Y THOUGHT-FUL!
Che pre - vi - den - za!
SIMONE
p
HOW VER - Y THOUGHT-FUL!
Che pre - vi .. den - za!
BETTO
p
HOW VER - Y THOUGHT-FUL!
Che pre - vi - den - za!
THE LAWYER
IL NOTAIO
ONE FOR-
Un pre-
.... a tempo
THE LAWYER
IL NOTAIO
3
3
-MA - LI - TY:
- am - bo - lo:
TELL ME, YOU'LL WANT YOUR FU - NE - RAL (MAY IT NOT BE IM - ME - DI - ATE)
dim - mi, i fu - ne - ra - li (il più tar - di pos - si - bi - le)

GIANNI SCHICCHI
No, no,
No, no,
THE LAWYER
IL NOTAIO
QUITE LUX-U-RIOUS? EX-PENS-IVE? OS-TEN-TA-TIOUS?
li vuoi ric-chi? fa-sto-si? di-spen-dio-si?
dim.
GIANNI SCHICCHI
NO! THAT WOULD BE WASTE-FUL! DO NOT SPEND MORE THAN
no! po-chi quat-tri-ni! Non si spen-da-no
poco rit.
a tempo
p
GIANNI SCHICCHI
SIX OR SEV-EN FLO-RINS!!
più di due fio-ri-ni!
GHERARDO
p
HOW UN-AS-SUM-ING!
Oh! che mo-de-stia!
MARCO
HOW UN-AS-
Oh! che mo-
72
mf
dim.

ZITA
p
IT'S WON-DER-FUL!
Che a - ni-mo!
CIESCA
p
O, WHAT A MAN!
Po-ve-ro zio!
NELLA
p
O, WHAT A MAN!
Po-ve-ro zio!
RINUCCIO
p
O, WHAT A MAN!
Po-ve-ro zio!
MARCO
-SUM - ING!
-de - stia!
SIMONE
p
IT DOES YOU CRED-IT!
Gli tor-na a o-no-re!
BETTO
p
WHAT KIND-NESS!
Che cuo-re!
p
pp
(Relatives are all astounded)
(I parenti si alzano esterrefatti)
GIANNI SCHICCHI
I BE-QUEATH TO THE FRI-ARS AND THE PRI-O-RY OF SAN-TA RE-PA-
Lascio ai fra - ti mi - no - ri e al - l'o-pe-ra di San-ta Re-pa-

(The relatives, now easy in their minds, breathe freely)
(Si siedono di nuovo, respirando liberamente)
ZITA
p
BRA-VO!
Bra-vo!
(spitefully)
(sottile)
GIANNI SCHICCHI
p
-RA - TA .. TWENT - Y LI - RE.
-ra - ta... cin - que li - re.
MARCO
p
BRA-VO!
Bra-vo!
SIMONE
p
BRAVO!
Bravo!
BETTO
p
BRAVO!
Bravo!
ppp
ZITA
p
WE MUST-N'T EV - ER FOR-GET RE-LI-GIOUS OB - LI - GA - TIONS!
Bi-so-gna sem-pre pen-sa-re alla be-ne - fi - cen-za!
MARCO
p
WE MUST-N'T EV - ER FOR-GET RE-LI-GIOUS OB - LI - GA - TIONS!
Bi-so-gna sem-pre pen-sa-re alla be-ne - fi - cen-za!
SIMONE
p
WE MUST-N'T EV - ER FOR-GET RE-LI-GIOUS OB - LI - GA - TIONS!
Bi-so-gna sem-pre pen-sa-re alla be-ne - fi - cen-za!
BETTO
p
WE MUST-N'T EV - ER FOR-GET RE-LI-GIOUS OB - LI - GA - TIONS!
Bi-so-gna sem-pre pen-sa-re alla be-ne - fi - cen-za!
73

GIANNI SCHICCHI
IF I SHOULD LEAVE THE
Chi crepa e la_scia
THE LAWYER
IL NOTAIO
(slyly)
(sottile)
p
IS IT NOT RATH-ER LIT-TLE?
Non ti sembra un po' poco?
p
GIANNI SCHICCHI
FRI - ARS MORE THAN TWEN - TY LI - RE, THE PEOPLE WILL BE
mol_to al_le con_gre - ghe e ai fra - ti fa di_re a chi ri -
NELLA
WHAT
Che
RINUCCIO
WHAT
Che
GIANNI SCHICCHI
(spitefully)
(sottile)
SAY - - ING: "THIS IS THE MON - EY HE'S STO - LEN!"
_ma - ne: "E - ran quat_tri - ni ru_ba - ti!"
GHERARDO
WHAT
Che
Un poco meno
p

ZITA
WHAT DIS-CERN-MENT!
Che saggez_za!
CIESCA
WHAT WIS-DOM!
Che mente!
NELLA
PRIN-CIPLES!
mas_si_me!
RINUCCIO
PRIN-CIPLES!
mas_si_me!
GIANNI SCHICCHI
ALL MY BONDS AND MY
I fio_ri_ni in con_
GHERARDO
PRIN-CIPLES!
mas_si_me!
MARCO
WHAT WIS-DOM!
Che mente!
SIMONE
WHAT DIS-CERN-MENT!
Che saggez_za!
BETTO
WHAT WIS-DOM!
Che men_te!
THE LAWYER
IL NOTAIO
WHAT UN-DER-STAND-ING!
Che lu_ci_dez_za!
I. Tempo
poco rit.
74
col canto

GIANNI SCHICCHI
SAV- INGS I LEAVE IN E - QUAL POR-TIONS TO MY RE-LA - TIONS.
-tan - ti li lascio in parti e-gua - li fra i pa-ren - ti.
sostenendo
poco rall.
pp
ZITA
p
COUS - IN, I THANK YOU!
Gra - zie, cu-gi - no!
CIESCA
p
UN - CLE, I THANK YOU!
Oh! gra-zie, zio!
NELLA
p
UN - CLE, I THANK YOU!
Oh! gra-zie, zio!
RINUCCIO
p
UN - CLE, I THANK YOU!
Oh! gra-zie, zio!
GIANNI SCHICCHI
THEN TO SI-
La-scio a Si-
SIMONE
p
COUS - IN, I THANK YOU!
Gra - zie, co - gna - to!
BETTO
p
BRO -THER, I THANK YOU!
Gra - zie, co - gna - to!
rall: a tempo
p dolce

GIANNI SCHICCHI
-MO - NE, THE HOUS-ES IN FU - CEC - CHIO. AND TO ZI - TA, THE HOUS-ES IN FI-
-mo - nei be - ni di Fu - cec - chio. Al - la Zi - ta i po - de - ri di Fi-
SIMONE
THANK YOU!
Gra - zie!
p dolce
ZITA
THANK YOU, THANK YOU!
Gra - zie, gra - zie!
GIANNI SCHICCHI
-GLI - NE. TO BET - TO THE MEAD-OWS IN PRA - TO. AND
-gli - ne. A Bet - to i cam - pi di Pra - to. A
BETTO
BRO - THER, I THANK YOU!
Gra - zie, co - gnato!
poco rit.
pp
NELLA
THANK YOU, THANK YOU!
Gra - zie, gra - zie!
GIANNI SCHICCHI
NEL-LA AND GHERARDO SHALL HAVE EMPOLI. AND TO CIE-SCA AND MARCO THE LAND AT
Nella ed a Gherardo i be - ni d'Empoli. Al - la Ciesca ed a Mar - co i be - ni a
GHERARDO
THANK YOU, THANK YOU!
Gra - zie, gra - zie!
a tempo
rall:

ZITA
(with clenched teeth)
(fra i denti)
ppp
(NOW WE COME TO THE MULE AND THE HOUSE_ AND THE SAW-MILLS.)
(O _ ra siamo alla mu_la, al_la casa ed ai mu_li _ ni.)
CIESCA
ppp
(NOW WE COME TO THE MULE AND THE HOUSE_ AND THE SAW-MILLS.)
(O _ ra siamo alla mu_la, al_la casa ed ai mu_li _ ni.)
NELLA
ppp
(NOW WE COME TO THE MULE AND THE HOUSE_ AND THE SAW-MILLS.)
(O _ ra siamo alla mu_la, al_la casa ed ai mu_li _ ni.)
RINUCCIO
ppp
(NOW WE COME TO THE MULE AND THE HOUSE_ AND THE SAW-MILLS.)
(O _ ra siamo alla mu_la, al_la casa ed ai mu_li _ ni.)
GIANNI SCHICCHI
QUIN - TO - LE.
Quin_to_le.
GHERARDO
ppp
(NOW WE COME TO THE MULE AND THE HOUSE_ AND THE SAW-MILLS.)
(O _ ra siamo alla mu_la al_la casa ed ai mu_li _ ni.)
MARCO
pp
(NOW WE COME TO THE MULE AND THE HOUSE_ AND THE SAW-MILLS.)
(O _ ra siamo alla mu_la, al_la casa ed ai mu_li _ ni.)
SIMONE
pp
(NOW WE COME TO THE MULE AND THE HOUSE_ AND THE SAW-MILLS.)
(O _ ra siamo alla mu_la, al_la casa ed ai mu_li _ ni.)
BETTO
pp
(NOW WE COME TO THE MULE AND THE HOUSE_ AND THE SAW-MILLS.)
(O _ ra siamo alla mu_la, al_la casa ed ai mu_li _ ni.)
75
a tempo
pp

GIANNI SCHICCHI
AS FOR THE MULE, FOR WHICH I HAVE
La - scio la mu - la, quel - la che
GIANNI SCHICCHI
PAID O - VER THREE HUND - RED FLO - RINS, AND WHICH IS BY
co - sta tre_cen - to fio - ri - ni, che è la mi -
sostenendo
3
GIANNI SCHICCHI
FAR THE FIN - EST MULE IN TUS - CAN - Y I
-glio - re mu - la di To - sca - na al
f
GIANNI SCHICCHI
(Rinuccio quietly
(Rinuccio furti -
f
LEAVE IT TO MY TRUST - ED — GIAN - NI SCHIC - CHI.
mio de - vo - to a - mi - co Gian_ni Schic_chi.
cresc. molto
p
ff

rejoins Lauretta on the terrace.)
vamente raggiunge Lauretta sul terrazzo.)
ZITA
(jumping up)
(scattando)
WHAT'S HE SAY - ING? HE'S MAD!
Co - me? Co - me? Co - m'è?
CIESCA
WHAT'S HE SAY - ING? HE'S MAD! HE'S MAD!
Co - me? Co - me? Co - m'è? Co - m'è?
NELLA
WHAT'S HE SAY - ING? HE'S MAD! HE'S MAD!
Co - me? Co - me? Co - m'è? Co - m'è?
GHERARDO
WHAT'S HE SAY - ING? HE'S MAD!
Co - me? Co - me? Co - m'è?
MARCO
WHAT'S HE SAY - ING? HE'S MAD!
Co - me? Co - me? Co - m'è?
SIMONE
WHAT'S HE SAY - ING? HE'S MAD!
Co - me? Co - me? Co - m'è?
BETTO
WHAT'S HE SAY - ING? HE'S MAD!
Co - me? Co - me? Co - m'è?
THE LAWYER
IL NOTAIO
Mu - lam re -
string:
a tempo
THE LAWYER
IL NOTAIO
- lin - quit e - jus a - mi - co de - vo - to Jcan - ni

ZITA
BUT ....
Ma ....
CIESCA
BUT ....
Ma....
NELLA
BUT ....
Ma....
GHERARDO
BUT ....
Ma....
MARCO
BUT ....
Ma....
SIMONE
OF WHAT EARTH-LY IM-POR-TANCE COULD THAT MULE BE TO GIANNI
Co-sa vuoi che gl'importi a Gian-ni Schicchi di quel-la
BETTO
BUT ....
Ma....
THE LAWYER
IL NOTAIO
Schicchi.
Poco meno
mf
p
GIANNI SCHICCHI
JUST A MO-MENT, SI-MO-NE! I SHOULD KNOW WHAT IS BEST FOR GIAN-NI
Tien-ti bo-no, Si-mo-ne! Lo so io quel che vuo-le Gian-ni
SIMONE
SCHIC-CHI?
mu-la?
pp

GIANNI SCHICCHI
SCHIC-CHI!
Schicchi!
THE RELATIVES (grumblingly)
I PARENTI (brontolando)
pp
AH! THE RAS-CAL, THE VILLAIN, THE SCOUNDREL!
Ah! fur-fan-te, fur-fan-te, fur-fan-te!
mf
dim.
76
a tempo
p
GIANNI SCHICCHI
AS FOR THE MAN-SION HERE IN FLORENCE I BE-QUEATH IT TO MY DE-VOT-ED AND MOST
La-scio la ca-sa di Fi-ren-ze al mio ca-ro de-voto affe-zio-na-to a-
sostenuto
GIANNI SCHICCHI
TRUST-ED GIANNI SCHIC-CHI!
-mi-co Gianni Schic-chi!
Allegro ♩= 132
cresc.
ff
ff

(The relatives burst out, in fury)
(I parenti scattano, inferociti)

ZITA
dim.
LEAVES THE MANSION TO GIANNI SCHICCHI! WE'LL NOT PER - MIT IT!
quel fur - fan_te di Gian_ni Schicchi! Ci ri_bel - lia_mo!
CIESCA
dim.
MANSION TO GIAN-NI SCHICCHI! WE'LL NOT PER - MIT IT, WE'LL NOT PERMIT IT! WE'LL NOT PER-
-fan - te di Gianni Schicchi! Ci ri - bel - lia_mo, ci ri - bel_lia_mo, ci ri - bel_
NELLA
dim.
MANSION TO GIAN-NI SCHICCHI! WE'LL NOT PER - MIT IT, WE'LL NOT PERMIT IT! WE'LL NOT PER-
-fan - te di Gianni Schicchi! Ci ri - bel - lia_mo, ci ri - bel_lia_mo, ci ri - bel_
GHERARDO
dim.
MANSION TO GIAN-NI SCHICCHI! WE'LL NOT PER - MIT IT, WE'LL NOT PERMIT IT! WE'LL NOT PER-
-fan - te di Gianni Schicchi! Ci ri - bel - lia_mo, ci ri - bel_lia_mo, ci ri - bel_
MARCO
dim.
LEAVES THE MANSION TO GIANNI SCHICCHI! WE'LL NOT PERMIT IT!....
quel fur - fan_te di Gianni Schic_chi! Ci ri_bel - lia_mo....
SIMONE
dim.
p
LEAVES THE MANSION TO GIANNI SCHICCHI! WE'LL NOT PERMIT IT! HE LEAVES THE
quel fur - fan_te di Gianni Schic_chi! Ci ri_bel - lia_mo! a quel fur_
BETTO
dim.
p
LEAVES THE MANSION TO GIANNI SCHICCHI! WE'LL NOT PERMIT IT! HE LEAVES THE
quel fur - fan_te di Gianni Schic_chi! Ci ri_bel - lia_mo! a quel fur_
dim.
p

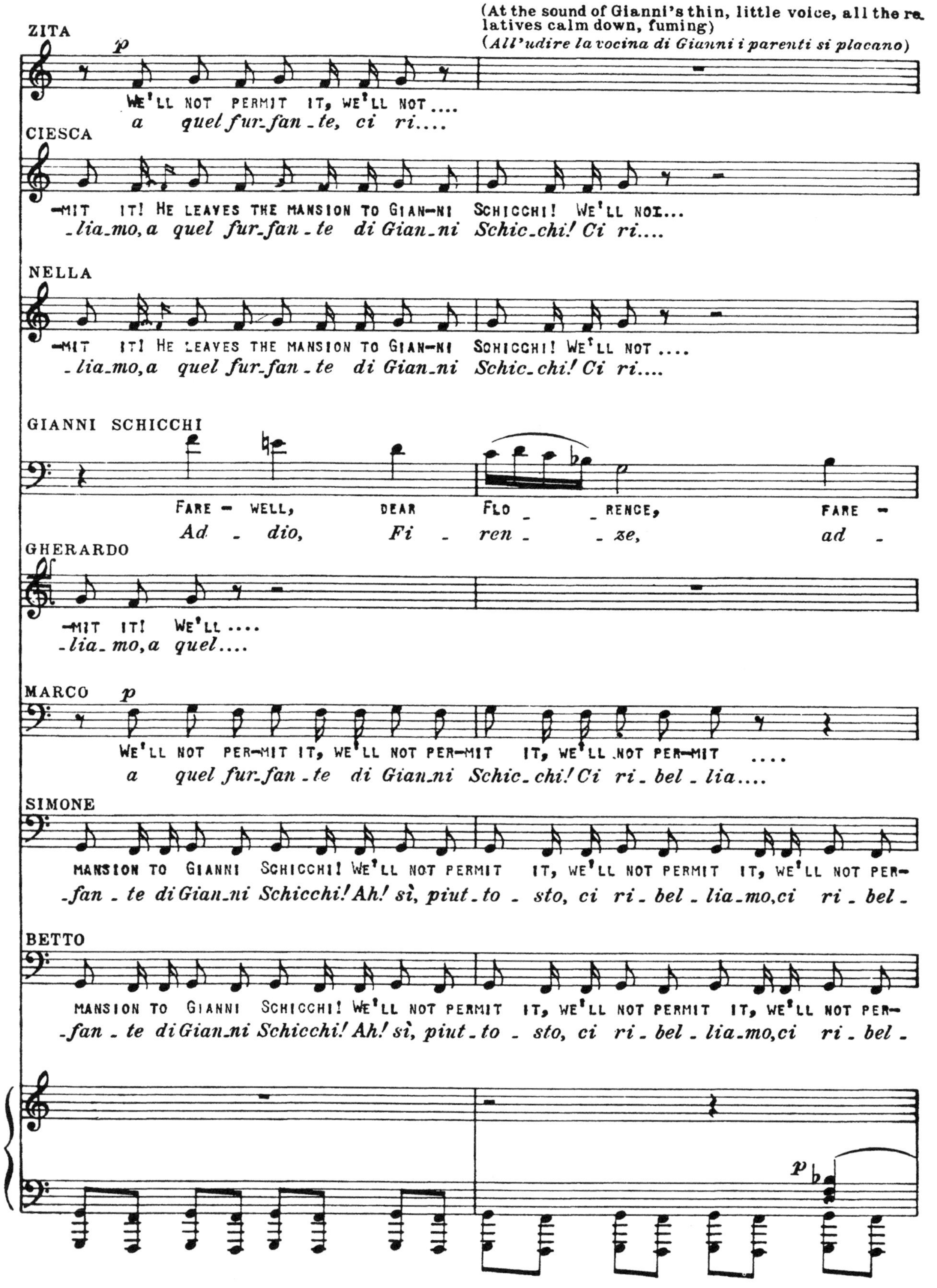
(At the sound of Gianni's thin, little voice, all the relatives calm down, fuming)
(All'udire la vocina di Gianni i parenti si placano)
ZITA
p
WE'LL NOT PERMIT IT, WE'LL NOT....
a quel fur_fan_te, ci ri....
CIESCA
-MIT IT! HE LEAVES THE MANSION TO GIAN-NI SCHICCHI! WE'LL NOT...
_lia_mo, a quel fur_fan_te di Gian_ni Schic_chi! Ci ri....
NELLA
-MIT IT! HE LEAVES THE MANSION TO GIAN-NI SCHICCHI! WE'LL NOT....
_lia_mo, a quel fur_fan_te di Gian_ni Schic_chi! Ci ri....
GIANNI SCHICCHI
FARE - WELL, DEAR FLO_ _RENCE, FARE -
Ad _ dio, Fi _ ren_ _ze, ad _
GHERARDO
-MIT IT! WE'LL....
lia mo, a quel....
MARCO
p
WE'LL NOT PER-MIT IT, WE'LL NOT PER-MIT IT, WE'LL NOT PER-MIT ....
a quel fur_fan_te di Gian_ni Schic_chi! Ci ri_bel_lia....
SIMONE
MANSION TO GIANNI SCHICCHI! WE'LL NOT PERMIT IT, WE'LL NOT PERMIT IT, WE'LL NOT PER-
_fan_te di Gian_ni Schicchi! Ah! sì, piut_to_sto, ci ri_bel_lia_mo, ci ri_bel_
BETTO
MANSION TO GIANNI SCHICCHI! WE'LL NOT PERMIT IT, WE'LL NOT PERMIT IT, WE'LL NOT PER-
_fan_te di Gian_ni Schicchi! Ah! sì, piut_to_sto, ci ri_bel_lia_mo, ci ri_bel_
p

ZITA
AH!
Ah!
CIESCA
AH!
Ah!
NELLA
AH!
Ah!
GIANNI SCHICCHI
WELL, WONDERFUL CIT- Y, I MUST SA - LUTE YOU....
-dio, cie-lo di - vi - no, io ti sa - lu - to.
GHERARDO
AH!
Ah!
MARCO
AH!
Ah!
SIMONE
-MIT IT, WE'LL NOT....
-lia - mo,ci ri....
AH!
Ah!
BETTO
-MIT IT, WE'LL NOT...
-lia - mo,ci ri....
AH!
Ah!
(sharply)
(con forza)
THE LAWYER
IL NOTAIO
WHY THIS DIS -
Non si di -
rit.
THE LAWYER
IL NOTAIO
TURB - - ANCE OF MAS - TER BUO-SO'S FI - NAL
-stur - - bi del te - sta - tor la vo - lon -
I. Tempo
f
p

GIANNI SCHICCHI
MY DEAR A - MAN - TIO, I DO AS I DE - SIRE; MY
Mes - ser A - man - tio, io la - scio a chi mi pa - re! Ho in
THE LAWYER
IL NOTAIO
WILL?
- tà!
77
f
p
GIANNI SCHICCHI
MIND IS JUST AS CLEAR AS MY IN - TEN - TIONS!
mente un te - sta_mento e sa_rà quel_lo!
p
JUST ONE COMPLAINT, I'LL SING FAREWELL TO
Se gri_da - no, sto cal_mo e cante_
poco rall:.................................rit.
mf
p
GIANNI SCHICCHI
FLO - RENCE....
- rel - lo.....
3
3
AND THE SAW-MILLS AT
Ei mu_li - ni di
PINELLINO
pp
FANTASTIC!
Che uo_mo!
GUCCIO
pp
HE'S FANTASTIC!
Ah! che uo_mo!
a tempo 𝅗𝅥 = 100
sostenuto
p

(quickly)
(rapido)
ZITA
AND THE SAW-MILLS AT SIGNA?
I mu li ni di Signa?
CIESCA
AND THE SAW-MILLS AT SIGNA?
I mu_li_ni di Signa?
NELLA
AND THE SAW-MILLS AT SIGNA?
I mu_li_ni di Signa?
GIANNI SCHICCHI
SI-GNA ....
Si_gna....
AND THE SAW-MILLS AT
I mu_li_ni di
GHERARDO
AND THE SAW-MILLS AT SIGNA?
I mu_li_ni di Signa?
(quickly)
(rapido)
MARCO
AND THE SAW-MILLS AT SIGNA?
I mu_li_ni di Signa?
SIMONE
AND THE SAW-MILLS AT SIGNA?
I mu_li_ni di Signa?
BETTO
AND THE SAW-MILLS AT SIGNA?
I mu_li_ni di Signa?
cresc. e affrett.
rall.
ff
p
pp

GIANNI SCHICCHI
half-spoken
quasi parlato
SI - GNA (FARE - WELL, DEAR FLO - RENCE!) I LEAVE MY
Si_gna (ad - dio, Fi - ren - ze!) li la_scioal
a tempo, ma più sostenendo
GIANNI SCHICCHI
sung
cantato
half-spoken
quasi parlato
DEAR - EST (FAREWELL, EN - CHANT - ING CI - TY!) DE - VOT - ED AND MOST
ca - ro (ad_dio, cie - lo di - vi_no!) af_fez_zio_nato a_
cresc.
(cries of protest from the relatives)
(grida di protesta dei parenti)
GIANNI SCHICCHI
sung
cantato
TRUSTED GIANNI SCHICCHI! I MUST SA - LUTE YOU WITH AM - PU - TAT - ED
_mi_co Gianni Schicchi,! (e ti sa - lu - to con que - sto mon_che_
affrettando
GIANNI SCHICCHI
(in a loud voice)
(con voce forte)
FING - ERS) LA, LA, LA, LA, LA, LA, LA, THAT IS FI - NAL!
_ri - no!) la, la, la, la, la, la, la, la! Ec - co fat_to!
78
a tempo
dim.
mf

GIANNI SCHICCHI
ZI - TA, WOULD YOU BE KIND E - NOUGH TO GIVE TWENTY
Zi - ta, di vo - stra bor - sa da - te ven - ti fio -
p
pp
GIANNI SCHICCHI
FLORINS TO EACH WIT - NESS AND FIF - TY TO THE LAW-YER!
- rini ai te - sti - mo - ni e cento al buon no - ta - io!
poco rit.
THE LAWYER - IL NOTAIO
MAS-TER BUO - SO,
Mes - ser Buo - so,
poco rit.
(spitefully)
(sottile)
GIANNI SCHICCHI
NO SAD FARE-WELLS NOW. HAVE COUR-AGE, HAVE COUR - AGE! TRY TO BEAR IT!
Nien - te sa - lu - ti. An - date, an - da - te. Siamo for - ti!..
THE LAWYER (moves towards the bed, but Gianni stops him with a wave of his trembling hand)
IL NOTAIO (si avvia verso il letto, ma Gianni lo ferma con un gesto della mano tremula)
THANK YOU!
gra - zie!
a tempo
rall.
p

THE. LAWYER - IL NOTAIO
79 a tempo
pp
rall:..... a tempo sost.
(moving towards the door)
(avviandosi per uscire)
p
WHAT A WON-DER-FUL PERSON!
Ah! che uo-mo, che uo-mo!
PINELLINO
(much upset moving towards the door)
(avviandosi commosso)
WHAT A LOSS TO HU-MA-NI-TY!
Che uo-mo! che per-di-ta!
GUCCIO
WHAT A PI-TY!
Che pec-ca-to!
A TRA-GE-DY!
che per-di-ta!
(exits weeping)
(piangendo esce)
HAVE COURAGE!
Co-raggio!
(spoken - to relatives)
(senza voce ai parenti)
rall:

(As soon as the lawyer and witnesses have gone out, the relatives rush in a mass towards Gianni who tries to
(Appena usciti il notaio e i testi, i parenti si slanciano contro Gianni che tenta difendersi come può)
(with suppressed fury)
(con ira repressa)
half spoken
quasi senza nota
ZITA
pp
f
ROB - BER, ROB - BER, ROB - BER, ROB - BER, YOU DIRTY, THIEVING ROB - BER, YOU
Laa - dro, Laa - dro, la - dro, la - dro, fur - fan - te, tra - di - to - re, bir -
CIESCA
NELLA
GHERARDO
MARCO
SIMONE
BETTO
ROB - BER, ROB - BER, ROB - BER, YOU DIRTY, THIEVING ROB - BER, YOU
Laa - dro, la - dro, la - dro, fur - fan - te, tra - di - to - re, bir -
80
Allegro vivo
ff

defend himself as best he can)
(they tear his night-shirt into shreds)
(gli strappano la camicia)
ZITA
FIEND, YOU IM-POST-OR! ROB-BER! ROB-BER! YOU SWIN-DLER, YOU BEASTLY LITTLE
-ban - te, i - ni - quo, la - dro, la - dro, fur - fan - te, bir-ban-te, tra-di -
CIESCA
FIEND, YOU IM-POST-OR! ROB-BER! ROB-BER! YOU SWIN-DLER, YOU BEASTLY LITTLE
-ban - te, i - ni - quo, la - dro, la - dro, fur - fan - te, bir-ban-te, tra-di -
NELLA
FIEND, YOU IM-POST-OR! ROB-BER! ROB-BER! YOU SWIN-DLER, YOU BEASTLY LITTLE
-ban - te, i - ni - quo, la - dro, la - dro, fur - fan - te, bir-ban-te, tra-di -
GHERARDO
FIEND, YOU IM-POST-OR! ROB-BER! ROB-BER! YOU SWIN-DLER, YOU BEASTLY LITTLE
-ban - te, i - ni - quo, la - dro, la - dro, fur - fan - te, bir-ban-te, tra-di -
MARCO
FIEND, YOU IM-POST-OR! ROB-BER! ROB-BER! YOU SWIN-DLER, YOU BEASTLY LITTLE
-ban - te, i - ni - quo, la - dro, la - dro, fur - fan - te, bir-ban-te, tra-di -
SIMONE
FIEND, YOU IM-POST-OR! ROB-BER! ROB-BER! YOU SWIN-DLER, YOU BEASTLY LITTLE
-ban - te, i - ni - quo, la - dro, la - dro, fur - fan - te, bir-ban-te, tra-di -
BETTO
FIEND, YOU IM-POST-OR! ROB-BER! ROB-BER! YOU SWIN-DLER, YOU BEASTLY LITTLE
-ban - te, i - ni - quo, la - dro, la - dro, fur - fan - te, bir-ban-te, tra-di -

ZITA
TRAI - - TOR!
-to - - re!
CIESCA
TRAI - - TOR!
-to - - re!
NELLA
TRAI - - TOR!
-to - - re!
(Jumps off the bed, brandishing Buoso's stick, with which he deals effective blows at the relatives)
(Salta giù dal letto e, brandendo il bastone di Buoso, mena legnate ai parenti)
GIANNI SCHICCHI
YOU SHAB - BY SKIN-FLINTS! GO ON, GET OUT! I SAID, GET
Gen-te tac-ca-gna! Vi caccio via di ca-sa
GHERARDO
TRAI - - TOR!
-to - - re!
MARCO
TRAI - - TOR!
-to - - re!
SIMONE
TRAI - - TOR!
-to - - re!
BETTO
TRAI - - TOR!
-to - - re!

(The relatives run around here and there, pursued by Gianni,...
(I parenti corrono qua e là, rincorsi da Gianni;...
ZITA
WE'LL SHOW HIM! WE'LL SHOW HIM! WE'LL
Sac - cheg - gia! Sac cheg - gia! Sac -
CIESCA
WE'LL SHOW HIM! WE'LL SHOW HIM! WE'LL
Sac - cheg - gia! Sac - cheg - gia! Sac -
NELLA
WE'LL SHOW HIM! WE'LL SHOW HIM! WE'LL
Sac - cheg - gia! Sac - cheg - gia! Sac -
GIANNI SCHICCHI
OUT, THIS HOUSE IS MINE NOW!
mia! È ca - sa mi - a!
GHERARDO
WE'LL SHOW HIM! WE'LL SHOW HIM! WE'LL
Sac - cheg gia! Sac - cheg - gia! Sac -
MARCO
WE'LL SHOW HIM! WE'LL SHOW HIM! WE'LL
Sac - cheg - gia! Sac - cheg - gia! Sac -
SIMONE
WE'LL SHOW HIM! WE'LL SHOW HIM! WE'LL
Sac - cheg - gia! Sac - cheg - gia! Sac -
BETTO
WE'LL SHOW HIM! WE'LL SHOW HIM! WE'LL
Sac - cheg - gia! Sac - cheg - gia! Sac -
tutta forza

looting and thieving
saccheggiano e rubano
ZITA
SHOW HIM! LET'S TEAR DOWN THE CUR - TAINS!
cheg - gia! Bot ti - no! bot - ti - no!
CIESCA
SHOW HIM! LET'S TEAR DOWN THE CUR - TAINS!
-cheg - gia! Le pez ze di li - no!
NELLA
SHOW HIM! TAKE ALL OF THE LIN - ENS!
-cheg - gia! Le pez - ze di li - no!
GIANNI SCHICCHI
OUT! OUT!
Via! Via!
GHERARDO
SHOW HIM! WE'LL SHOW HIM, WE'LL SHOW HIM!
-cheg - gia! Sac - cheg - gia! sac - cheggia!
MARCO
SHOW HIM! WE'LL SHOW__ HIM, WE'LL SHOW HIM!
-cheg - gia! La ro - ba d'ar - gen - to!
SIMONE
SHOW HIM! TAKE ALL OF THE SIL - VER!
-cheg - gia! Sac - cheg - gia! sac - cheggia!
BETTO
SHOW HIM! TAKE ALL OF THE SIL - VER!
-cheg - gia! Sac - cheg - gia! sac - cheggia!
p

.... Gherardo goes upstairs right ....
.... Gherardo sale la scala di destra..........
ZITA
WE'LL SHOW HIM, WE'LL SHOW HIM. LET'S TEAR DOWN THE CURTAINS!
Le pez_ze di te_la! La ro_ba d'ar_gen_to!
CIESCA
WE'LL SHOW HIM, WE'LL SHOW HIM. LET'S TEAR DOWN THE CURTAINS!
La ro_ba d'argen_to! Le pez_ze di te_la!
NELLA
WE'LL SHOW HIM, WE'LL SHOW HIM. TAKE ALL OF THE LIN-ENS!
La ro_ba d'argen_to! Le pez_ze di te_la!
GIANNI SCHICCHI
OUT! NOW IT IS
via! È ca_sa
GHERARDO
WE'LL SHOW HIM, WE'LL SHOW HIM! WE'LL SHOW HIM, WE'LL SHOW HIM!
La ro_ba d'argen_to! Bot ti_no! sac_cheggia!
MARCO
WE'LL SHOW HIM, WE'LL SHOW HIM! WE'LL SHOW HIM, WE'LL SHOW HIM!
Bot_ti_no! bot_ti_no! Sac_cheg_gia! sac_cheggia!
SIMONE
WE'LL SHOW HIM, WE'LL SHOW HIM! TAKE ALL OF THE SIL - VER!
Sac_cheggia! saccheggia! Bot_ti_no! bot_ti_no!
BETTO
WE'LL SHOW HIM, WE'LL SHOW HIM! TAKE ALL OF THE SIL - VER!
Sac_cheggia! saccheggia! Bot_ti_no! bot_ti_no!

and comes back loaded, dragging Gherardino with him
ZITA e ne torna carico, trascinando Gherardino
WE'LL SHOW HIM, WE'LL SHOW HIM, LET'S TEAR DOWN THE CURTAINS!
CIESCA La ro_ba d'ar_gen_to! Le pez_ze di te_la!
WE'LL HOW HIM, WE'LL OW HIM. LET'S TEAR DOWN THE CURTAINS!
NELLA Le pez_ze di te_la! La ro_ba d'ar_gen_to!
WE'LL SHOW HIM. WE'LL SHOW HIM. TAKE ALL OF THE LIN - ENS!
GIANNI SCHICCHI Le pez_ze di te_la! La ro_ba d'ar_gen_to!
(shouting) (gridando)
MINE! mia!
OUT! OUT! Via! Via!
GHERARDO
WE'LL SHOW HIM, WE'LL SHOW HIM! WE'LL SHOW HIM, WE'LL SHOW HIM!
Sac_cheg_gia! saccheg_gia! Bot_ti_no! bot_ti_no!
MARCO
WE'LL SHOW HIM, WE'LL SHOW HIM! WE'LL SHOW HIM, WE'LL SHOW HIM!
Sac_cheg_gia! saccheg_gia! Bot_ti_no! bot_ti_no!
SIMONE
WE'LL SHOW HIM, WE'LL SHOW HIM! TAKE ALL OF THE SIL - VER!
Sac_cheg_gia! saccheg_gia! Sac_cheggia! sac_cheggia!
BETTO
WE'LL SHOW HIM, WE'LL SHOW HIM! TAKE ALL OF THE SIL - VER!
Sac_cheg_gia! saccheg_gia! Sac_cheggia! sac_cheggia!
81 incalzando
ff
GIANNI SCHICCHI
OUT! OUT! Via! Via!
GET OUT! Via! Via!
THIS HOUSE IS MINE, GO ON, GET
È ca_sa mia, vi cac_cio
poco rit.
a tempo e string.

Gianni tries to stop them taking away too much
All.
Gianni tenta difendere la roba
Tutti,
ZITA
THIS GARMENT OF SILVER!
La ro-ba d'argen-to!
THIS GARMENT OF SILVER!
La ro-ba d'argento!
CIESCA
THESE PIECES OF LINEN!
Le pez-ze di te-la!
THESE PIECES OF LINEN!
Le pezze di te-la!
NELLA
THESE PIECES OF LINEN!
Le pez-ze di te-la!
THESE PIECES OF LINEN!
Le pezze di te-la!
GIANNI SCHICCHI
OUT!
via!
OUT!
Via!
MARCO
LET'S GRAB ALL WE CAN NOW!
Bot-ti-no! bo-ti-no!
LET'S GRAB ALL WE
La ro-ba d'ar
SIMONE
LET'S PILLAGE, LET'S PILLAGE!
Saccheggia! saccheggia!
LET'S PILLAGE, LET'S PILLAGE!
Saccheggia! saccheggia!
BETTO
LET'S PILLAGE, LET'S PILLAGE!
Saccheggia! saccheggia!
LET'S PILLAGE, LET'S PILLAGE!
Saccheggia! saccheggia!

as they have their arms full, crowd round the door
mano a mano che son carichi, si affollano alla porta
ZITA
THIS GARMENT OF SILVER!
La ro - ba d'argento!
THIS GARMENT OF SILVER!
La ro - ba d'argento!
CIESCA
THESE PIECES OF LINEN!
Le pez-ze di te - la!
THESE PIECES OF LINEN!
Le pezze di te - la!
NELLA
THESE PIECES OF LINEN!
Le pez-ze di te - la!
THESE PIECES OF LINEN!
Le pezze di te - la!
GIANNI SCHICCHI
OUT!
Via!
OUT!
Via!
MARCO
CAN NOW!
-gen-to!
LET'S GRAB ALL WE CAN NOW!
La ro-ba d'ar-gen-to!
LET'S GRAB ALL WE
La ro ba d'ar-
SIMONE
LET'S PILLAGE, LET'S PILLAGE!
Saccheggia! saccheggia!
LET'S PILLAGE, LET'S PILLAGE!
Saccheggia! saccheggia!
BETTO
LET'S PILLAGE, LET'S PILLAGE!
Saccheggia! saccheggia!
LET'S PILLAGE, LET'S PILLAGE!
Saccheggia! saccheggia!

.... and rush downstairs; .... Gianni runs after them ....
.... e scendono le scale; .... Gianni li rincorre ....
ZITA
(shouting - gridando)
AH!
ah!
CIESCA
(shouting - gridando)
AH!
ah!
NELLA
(shouting - gridando)
AH!
ah!
(hitting right and left)
(menando legnate)
GIANNI SCHICCHI
OUT! via! OUT! via! OUT! via! OUT! via! OUT! via! OUT! via!
MARCO
CAN NOW
-gen_to.
.... the stage empties)
.... la scena si vuota)
ZITA
CIESCA
NELLA
GIANNI SCHICCHI
OUT! via! OUT! via!
82
mf
mf

ZITA (from without) (dall'interno)
ROB - BER, ROB-BER, YOU DIRT - Y THIEVING ROB-BER!
la-dro, la-dro, fur-fan - te, tra-di-to-re!
CIESCA (from vithout) (dall'interno)
ROB - BER__ ROB-BER, YOU DIRT - Y THIEVING ROB-BER!
la-dro, i-ni-quo bir-ban - te, tra-di-to-re!
NELLA (from vithout) (dall'interno)
ROB - BER__ ROB-BER, YOU DIRT - Y THIEVING ROB-BER!
la-dro, i-ni-quo bir-ban - te, tra-di-to-re!
GIANNI SCHICCHI (from without) (dall'interno)
OUT! OUT! OUT!
Via! Via! Via!
GHERARDO (from without) (dall'interno)
ROB - BER__ ROB-BER, YOU DIRT - Y THIEVING ROB-BER!
la-dro, i-ni-quo bir-ban - te, tra-di-to-re!
MARCO (from without - dall'interno)
ROB - BER, ROB-BER, YOU DIRT - Y THIEVING ROB-BER!
la-dro, la-dro, fur-fan - te, tra-di-to-re!
SIMONE (from without - dall'interno)
ROB - BER, ROB-BER, YOU DIRT - Y THIEVING ROB-BER!
la-dro, la-dro, fur-fan - te, tra-di-to-re!
BETTO (from without - dall'interno)
ROB - BER, ROB-BER, YOU DIRT - Y THIEVING ROB-BER!
la-dro, la-dro, fur-fan - te, tra-di-to-re!
dim:
pp

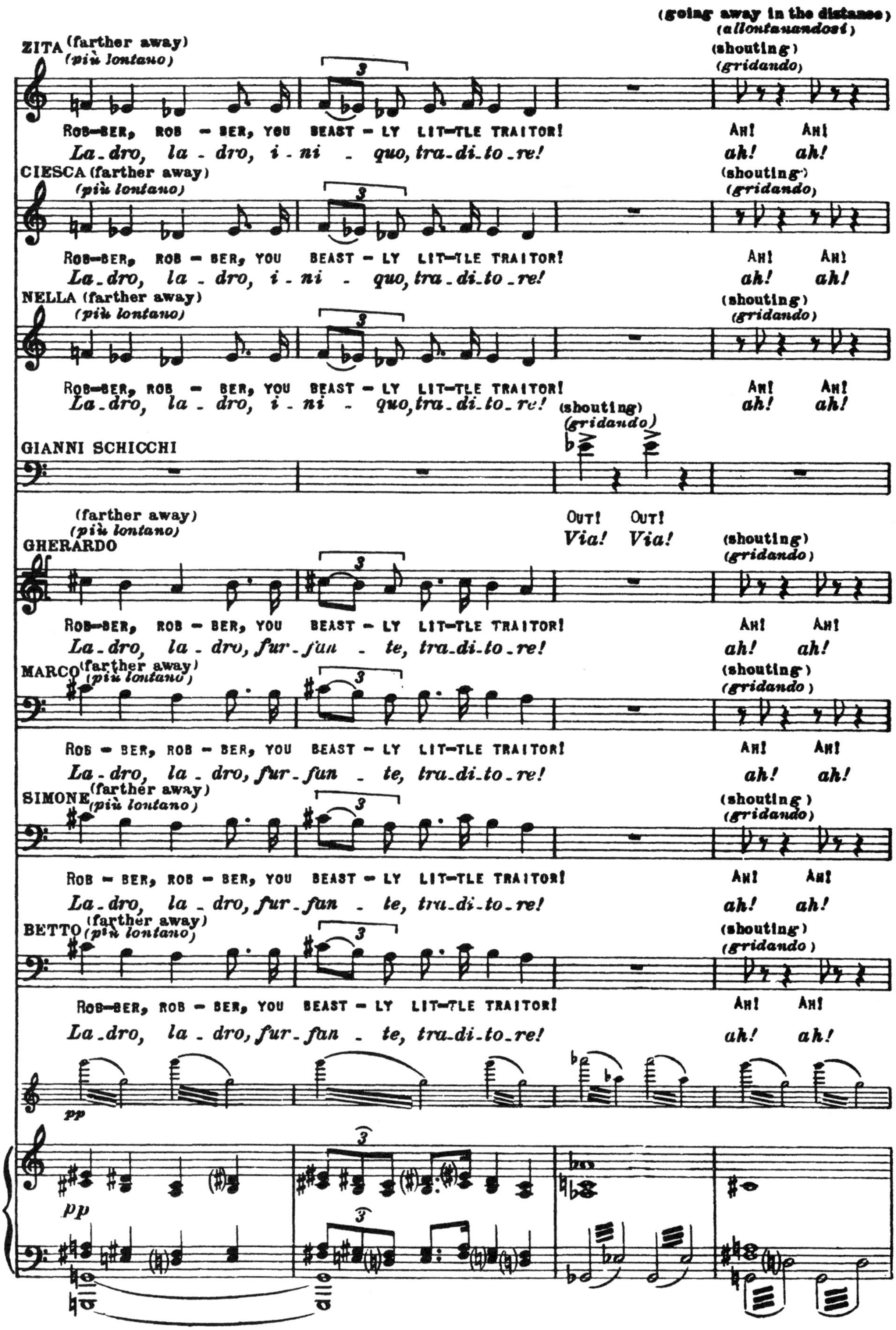
(going away in the distance)
(allontanandosi)
ZITA (farther away)
(più lontano)
(shouting)
(gridando)
ROB-BER, ROB - BER, YOU BEAST - LY LIT-TLE TRAITOR! AH! AH!
La-dro, la - dro, i-ni - quo, tra-di-to-re! ah! ah!
CIESCA (farther away)
(più lontano)
(shouting)
(gridando)
ROB-BER, ROB - BER, YOU BEAST - LY LIT-TLE TRAITOR! AH! AH!
La-dro, la - dro, i-ni - quo, tra-di-to-re! ah! ah!
NELLA (farther away)
(più lontano)
(shouting)
(gridando)
ROB-BER, ROB - BER, YOU BEAST - LY LIT-TLE TRAITOR! AH! AH!
La-dro, la - dro, i-ni - quo, tra-di-to-re! ah! ah!
(shouting)
(gridando)
GIANNI SCHICCHI
OUT! OUT!
Via! Via!
(farther away)
(più lontano)
GHERARDO
(shouting)
(gridando)
ROB-BER, ROB - BER, YOU BEAST - LY LIT-TLE TRAITOR! AH! AH!
La-dro, la - dro, fur-fan - te, tra-di-to-re! ah! ah!
MARCO (farther away)
(più lontano)
(shouting)
(gridando)
ROB - BER, ROB - BER, YOU BEAST - LY LIT-TLE TRAITOR! AH! AH!
La-dro, la - dro, fur-fan - te, tra-di-to-re! ah! ah!
SIMONE (farther away)
(più lontano)
(shouting)
(gridando)
ROB - BER, ROB - BER, YOU BEAST - LY LIT-TLE TRAITOR! AH! AH!
La-dro, la - dro, fur-fan - te, tra-di-to-re! ah! ah!
BETTO (farther away)
(più lontano)
(shouting)
(gridando)
ROB-BER, ROB - BER, YOU BEAST - LY LIT-TLE TRAITOR! AH! AH!
La-dro, la - dro, fur-fan - te, tra-di-to-re! ah! ah!
pp
pp

ZITA
AH! AH!
ah! ah!
CIESCA
AH! AH!
ah! ah!
NELLA
AH! AH!
ah! ah!
GIANNI SCHICCHI
OUT! OUT!
via! via!
OUT! OUT!
via! via!
GHERARDO
AH! AH!
ah! ah!
MARCO
AH! AH!
ah! ah!
SIMONE
AH! AH!
ah! ah!
BETTO
AH! AH!
ah! ah!
83
rall:
dim.

(from outside, opens the large windows slowly, Florence appears, bathed in glorious sunshine, the
((dal difuori opre lentamente il finestrone: appare Firenze inondata di sole; i due innamorati
RINUCCIO
84
Largo ♩ = 44
MY OWN LAUR - ET - TA, YOU'RE MINE FOR - EV-ER
Lauret - ta mi - a, sta - re - mo sempre
pp
Ped.
two lovers remain, embracing each other on the terrace)
si fermano, abbracciati, sul terrazzino)
RINUCCIO
MORE! FLO - RENCE, SE - RENE AND
qui Guar - da... Fi - ren - ze è
Ped.
LAURETTA
WHERE FIRST YOU PROMISED TO
Lì mi giu - ra - stia.
RINUCCIO
LOVE - LY, SMILES ON THE GAR - DEN!
d'o - ro Fie - so - le è bel - li!
tratt.
sostenuto
Ped.

LAURETTA
LOVE ME!
I'LL AL-WAYS RE
RINUCCIO
-mo - - re!
il pri-mo
I ASKED TO KISS YOU...
Ti chie-si un ba - cio;
LAURETTA
MEM-BER...
AND
RINUCCIO
ba - cio... dolce
Fi-
THEN PALE AND TREMBL-ING- YOU SLOW-LY FACED ME. AND
tre-man-te e bian-ca vol-ge-sti il vi-so Fi
dolce
poco rall.
p
LAURETTA
Or'la
Opp.
FLO-RENCE IN THE DIS-TANCE WAS PA-RA-DISE FOR-
-ren-ze da lon-ta-no ci par-ve il Pa-ra-
RINUCCIO
FLO-RENCE IN THE DIS-TANCE WAS PA-RA-DISE FOR-
-ren-ze da lon-ta-no ci par-ve il Pa-ra-
a tempo, largamente
allarg.
espressivo
cresc. molto
f

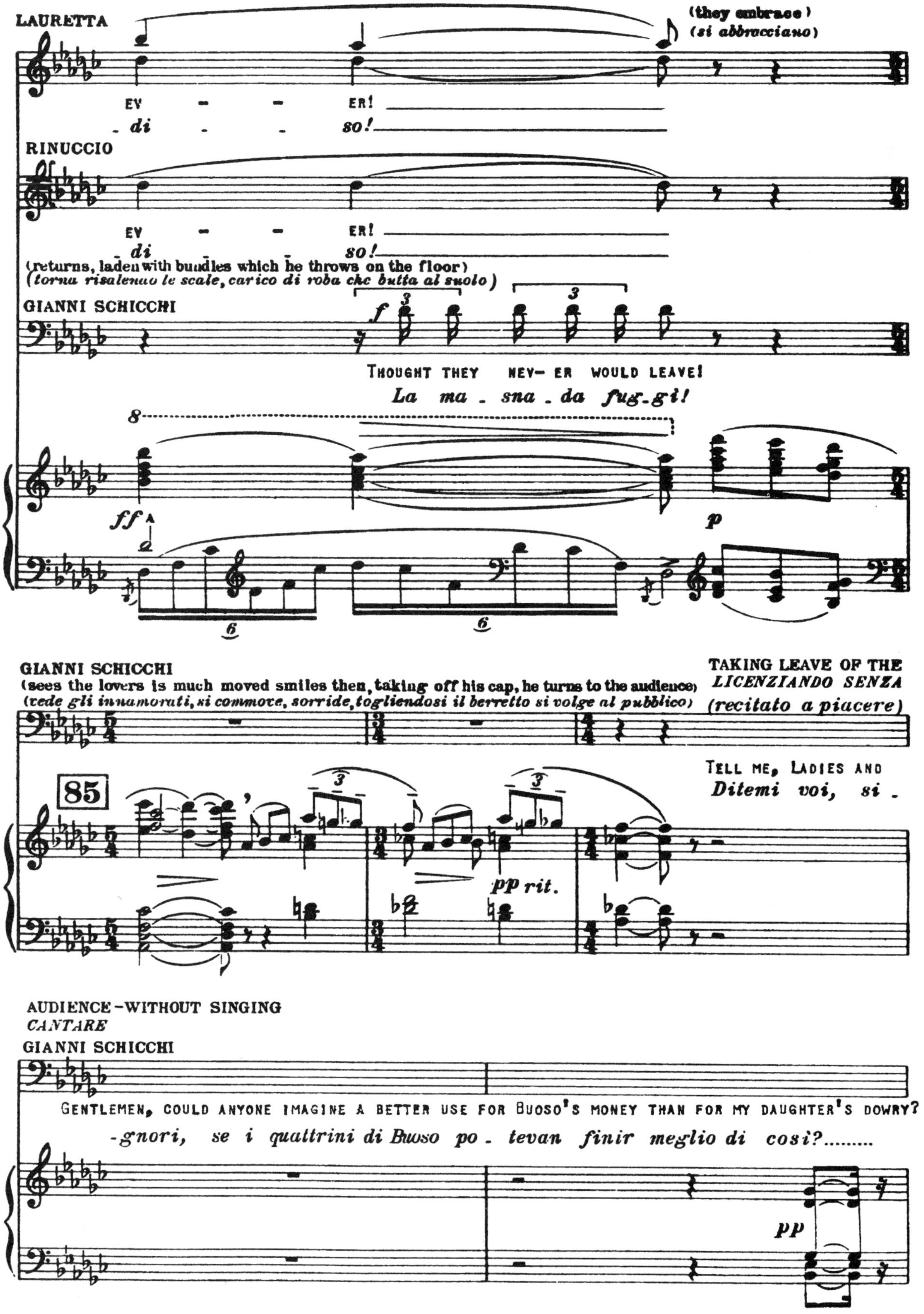
LAURETTA
(they embrace)
(si abbracciano)
EV - - ER!
di - - so!
RINUCCIO
EV - - ER!
di - - so!
(returns, laden with bundles which he throws on the floor)
(torna risalendo le scale, carico di roba che butta al suolo)
GIANNI SCHICCHI
THOUGHT THEY NEV- ER WOULD LEAVE!
La ma - sna - da fug - gì!
GIANNI SCHICCHI
(sees the lovers is much moved smiles then, taking off his cap, he turns to the audience)
(vede gli innamorati, si commove, sorride, togliendosi il berretto si volge al pubblico)
TAKING LEAVE OF THE
LICENZIANDO SENZA
(recitato a piacere)
85
TELL ME, LADIES AND
Ditemi voi, si -
pp rit.
AUDIENCE-WITHOUT SINGING
CANTARE
GIANNI SCHICCHI
GENTLEMEN, COULD ANYONE IMAGINE A BETTER USE FOR BUOSO'S MONEY THAN FOR MY DAUGHTER'S DOWRY?
-gnori, se i quattrini di Buoso po - tevan finir meglio di così?.........
pp

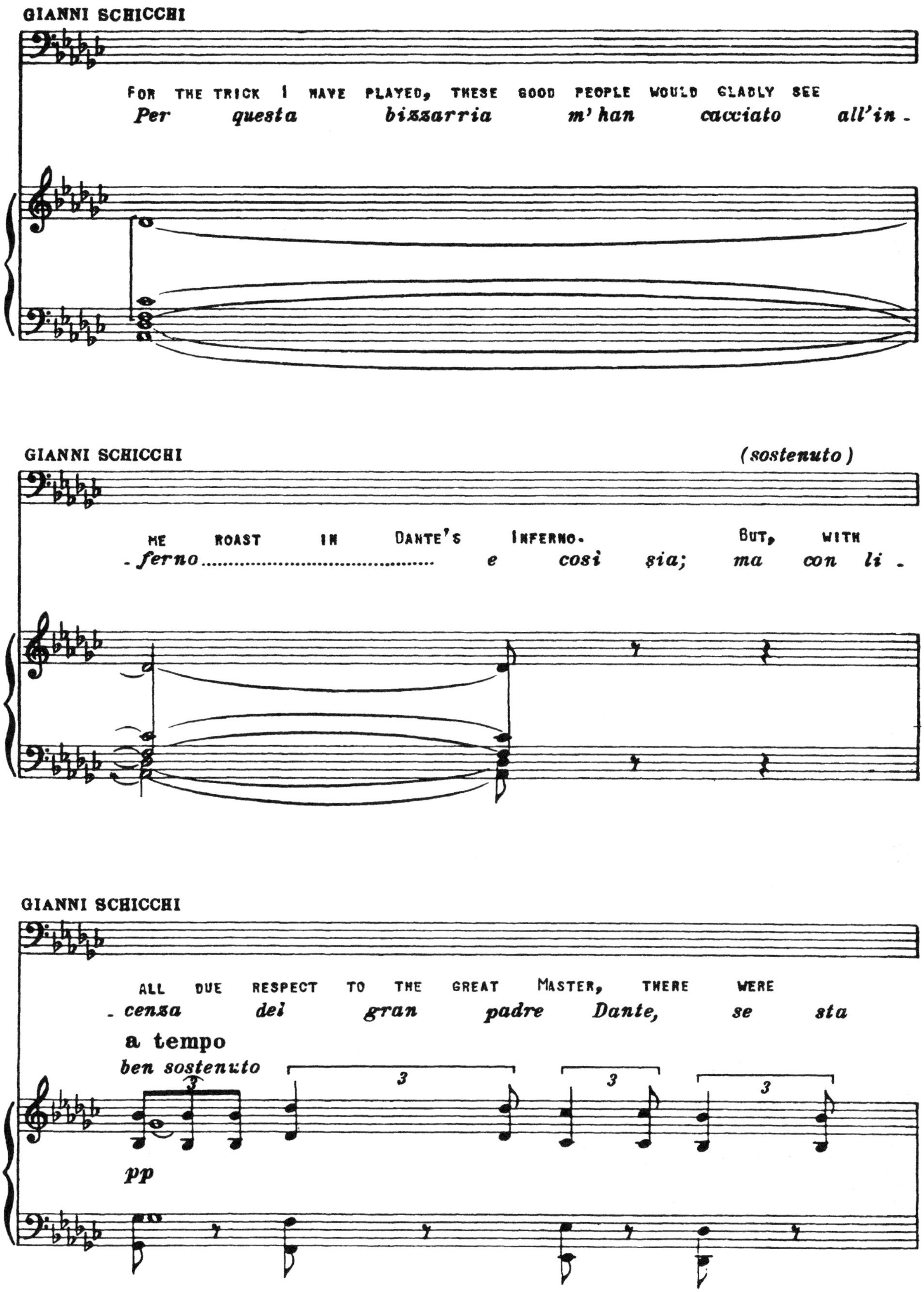
GIANNI SCHICCHI
FOR THE TRICK I HAVE PLAYED, THESE GOOD PEOPLE WOULD GLADLY SEE
Per questa bizzarria m' han cacciato all'in-
GIANNI SCHICCHI
(sostenuto)
ME ROAST IN DANTE'S INFERNO. BUT, WITH
-ferno .... e così sia; ma con li-
GIANNI SCHICCHI
ALL DUE RESPECT TO THE GREAT MASTER, THERE WERE
-cenza del gran padre Dante, se sta
a tempo
ben sostenuto
pp

GIANNI SCHICCHI
CERTAIN...EXTENUATING CIRCUMSTANCES! IF YOU AGREE, I HOPE YOU WILL RETURN A
-sera vi siete divertiti, concedetemi
(makes motion of applause)
(he bows gracefully to the audience)
GIANNI SCHICCHI (fa il gesto di applaudire)
(s'inchina e saluta il pubblico)
VERDICT OF ... NOT GUILTY!
voi l'attenu - ante!
Allegro deciso
86
string.
pp
ff
secco